八《はっ》朔《さく》の雪

みをつくし料理帖

高田 郁

時代小説文庫

角川春樹事務所

本書は時代小説文庫（ハルキ文庫）の書き下ろし作品です。

目次

巻末付録デザイン・西村真紀子（アルビレオ）

狐のご祝儀——ぴりから鰹田麩《かつおでんぶ》

「せっかくの深川牡蠣《かき》を」

押し殺した声が震えている。

間仕切りから様子をうかがっていた澪《みお》は、客の怒りの激しさを読み取って、丸い肩をぎゅっと竦《すく》めた。

「こんな酷《むご》いことしやがって。食えたもんじゃねぇ」

お代を投げつける音が響いて、男は乱暴に引き戸を開けるとそのまま出て行った。今夜は、これで二人めだった。

店主の種市《たねいち》は、と見ると、「気にするな」とでも言いたげに澪に白髪頭を振ってみせる。澪はしおしおと布巾《ふきん》を手に、長床几《ながしようぎ》に向かった。神田明神下御台所町《かんだみようじんしたおだいどころまち》の蕎麦屋《そばや》「つる家」。先の客が去った後には、七輪にかかったままでほとんど手をつけられていない小ぶりの鍋《なべ》が残されている。

鍋肌に塗りつけられた白味噌《みそ》がほどよく出汁《だし》の中に溶けだしたところへ、ふっくらと太った牡蠣が顔を覗《のぞ》かせていた。これ以上火を入れると身が痩《や》せてしまう。今が一番良い頃合いなのに、と娘は恨めしそうに客の出て行った引き戸を見た。

「酷い」やて、そっちの方がよっぽど酷いやないの――胸の内でそう毒づいた時だ。くっくと忍び笑いが聞こえた。向かいの長床几でなめ味噌を肴《さかな》にちびちび呑《の》んでいた浪人風の男が、箸《はし》を持った手で口もとを押さえ、肩を揺らして笑っている。齢《よわい》、三十前後。縞木綿《しまもめん》の袷《あわせ》は全体に薄汚れているが、月代《さかやき》や髭《ひげ》などは見苦しくない程度に整っていた。確か、種市が「小松原《こまつばら》さま」と呼ぶ常連客だった。

「いや、済まん。考えていることがこうまでわかり易《やす》く顔に出る者も珍しい、と思ったもので」

そう言って、まだ笑っている。

澪は、少し顔を赤らめて、ぴょこんと頭を下げると、床几の上を片付け始めた。

丸顔に、鈴を張ったような双眸《そうぼう》。ちょいと上を向いた小さな丸い鼻。下がり気味の両の眉《まゆ》。どちらかと言えば緊迫感のない顔で、ともに暮らす芳《よし》からも「叱《しか》り甲斐《がい》のない子」と言われている。それなのに料理が絡むと、自分でも抑えようのない感情が生まれて、それが顔に出てしまうのだ。

「こんなに旨《うま》いのに箸もつけずに、大ばか野郎――そう顔に書いてあるぜ。どれ」

言って、小松原の箸が澪の持つ小鍋へと伸びる。白味噌と出汁の味が滲《し》みてぷるぷるした牡蠣の身をひとつ摘《つ》まみ出すと、口へ放《ほう》り込んだ。目を閉じ、うむうむ、と頷《うなず》きながら咀嚼《そしゃく》する姿は、どこか楽しげだ。口の中のものを飲み下すと、男はぱっと両眼《りょうめ》を開けて澪を見、にやりと笑った。

「面白い」

面白い、とはどういうことか。澪は辛抱強く次の言葉を待つ。だが、小松原はそれ以上何も言わずに、銭を盆の上に置いて立ち上がった。澪は男を追い、慌てて店の表へ出た。半分欠けた月が、思いがけず明るい。明神下を吹き抜ける初霜月《はつしもづき》の風が肌を刺した。

「お待ちくださいまし」

男が振り返った。表情までは見えない。

「教えてください。何が……何が悪かったのでしょう?」

躊躇《ためら》いながら切り出すと、あとは口をついて言葉が溢《あふ》れた。

「私の作る料理は、どこが駄目なのでしょう? この店に雇われて三月《みつき》。今日、初めて料理を作らせて頂いたのに、あの有様です。旦那《だんな》さんに申し訳のうて……。どないしたらええんか、わからんようになってしもて」

くに訛《なま》りが出たことも気づかないほど、澪は夢中だった。欠伸《あくび》を嚙《か》み殺した声で、男が答える。

「さあな。そいつは俺のあずかり知らぬことだ」

「けれど、面白い、と仰《おつしや》ってくださいました。不味《まず》い、ではなく面白い、と」

はて、と男が首を捻《ひね》る仕草をした。

「くには上方《かみがた》のようだな。俺にはよくわからんのだが、上方では奉公人が客を捕まえて、そうやって料理の教えを乞《こ》うのか？」

そのひと言が澪の胸を突いた。以前の奉公先、「天満一兆庵《てんまいっちょうあん》」は大坂でも名の知れた料理屋だった。奉公人がそんな真似《まね》をすれば、主人嘉兵衛《かへえ》は決して許さなかっただろう。澪にしても一兆庵でなら今のような振舞いは思いつきもしない。心の何処《どこ》かで、つる家を軽んじていることを言い当てられた思いがした。

あい済みませんでした、と澪は消え入りそうな声で言って、深々と頭を下げた。

中に戻ると、ちょうど種市が残った深川牡蠣《かき》を殻ごと七輪で焼いているところだった。

「今夜はもう客は来ねえだろ。お澪坊、先に上がって良いよ」

「旦那さん、その牡蠣」

「ああ、明日まで置いとけねえから、俺が食っちまおうと思ってね」

牡蠣の口が開いたところへ、醤油《しょうゆ》と燗冷《かんざ》ましの酒を回し入れる。これまでそうした食べ方をしたことが無かった澪だが、七輪の炭に零《こぼ》れ落ちた汁が芳《こう》ばしく香ると生唾《なまつば》が湧《わ》いて、思わずごくりと喉《のど》を鳴らした。

「ひとつ食ってみな。熱いから気をつけなよ」

焼けた殻で指先を火傷《やけど》しそうになりながら、澪は、はふはふと牡蠣を頬張《ほおば》る。噛んだ途端、牡蠣の濃厚な旨《うま》みが弾《はじ》けて、澪はうっとりと眼を細めた。常ならば苦手に感じる江戸の濃い醤油の味が、牡蠣《かき》の旨みを引き出すのに一役買っている。

「手は込んじゃいねぇが、ちょいと旨いだろ？　酒にも合う。小ぶりで味の濃い深川牡蠣はこうして食べるもの、と思い込んでる土地の者は多いのさ」

なるほど、と澪は思う。つる家に来る客の求めるのはこの味なのだ。殻焼きを思い描いて、出されたものが甘みの強い白味噌の土手鍋だったら、銭も投げつけたくなるかも知れない。両肩ががっくりと落ちた。

「白味噌の残りは、お澪坊が持って帰って構わねぇよ。お芳さんに汁《つゆ》でも作ってやんな」

無理を言って仕入れてもらった白味噌が、棚の隅に、肩身狭そうに置かれていた。

神田金沢町《かなざわちょう》。小間物問屋や薬種商などが軒を連ねるその裏手に、澪の暮らすうちがある。割り長屋の一番手前、奥行き二間半（約四・五メートル）の室内には、ふたつ重ねの行李《こうり》に小さな仏壇が据えてあった。その隅に薄い布団を敷き、二枚の夜着を重ねて、芳とくっついて眠る。掛け布団のない江戸の暮らしの中で身につけた、最も暖かく安心して眠れる方法だった。

「ほうか、牡蠣をそないな風になあ」

芳が、か細い声で呟《つぶや》く。

「けど、牡蠣はやっぱり土手鍋が一番美味《おい》しいのと違うか。白味噌とよう合うし」

へえ、ご寮《りょん》さん、と澪は冷たくなった鼻を夜着に押しつけながら嬉《うれ》しそうに言った。

「私も、そう思います。鍋に塗りつけた白味噌が溶け出したんを、ふうふう言うて食べるのが、美味しいて、美味しいて」

天満一兆庵に女衆《おなごし》として奉公に上がったばかりの幼い日、泣いてばかりの澪を気遣って、当時はまだ大坂に居た若旦那の佐兵衛《さへえ》が、たびたび牡蠣船に土手鍋を食べに連れて行ってくれたのだ。はるばる安芸《あき》の国からやって来る牡蠣船は、大坂の秋冬の風物詩でもあった。

「そう言うたら、佐兵衛はよう私の目ぇ盗んで、あんたを牡蠣船に連れ出してたなあ」

芳がほのぼのと笑う。天満一兆庵の女将《おかみ》だった頃のままの口調で、澪は嬉しくもあり、切なくもあった。

もし、天満一兆庵が火事に遭わなければ、江戸店《えどだな》の主《あるじ》を任された佐兵衛を頼ってこの地に下ることもなかった。佐兵衛が行方知れずになどなっていなければ、江戸店が潰《つぶ》れることも嘉兵衛が落命することもなかった。幾多の不運のどれかひとつでも免れていれば、ご寮さんの芳が、奉公人に過ぎない自分と、こうして体をくっつけあって眠ることもなかったのだ。

「せやけど、つる家の旦那さんは、器の大きいおかたやなあ」

不意打ちのような芳の言葉に、闇《やみ》の中で澪は意外そうに目を見張る。

「そうですやろか？　帰る道々、私、ずっと考えてました。土手鍋を作りたい、て最初に相談した時に、旦那さんは何で反対しはらへんかったんやろ、殻焼きのことを何で先に教えてくれはらへんかったんやろ、て。そしたらお客さんを怒らせることも、材料を無駄にすることもなかったのに」

短い沈黙のあと、芳は澪の方へ寝返りを打った。

「嘉兵衛は、こない言うてた。『才のない者には、恥かかんよう盛大に手ぇ貸したり。けど、才のある者には手ぇ貸さんと、盛大に恥かかしたり』て。私の反対を押し切って、女のあんたを板場へ入れて仕事を仕込んだ時、嘉兵衛は、どうやった?」

澪もまた、芳の方へ向き直る。

「へえ、厳しい仕込んで頂きました。賄いの味付けを仕損じた時も、何も教えて頂けんで、ずいぶんと恥ずかしい思いもしました」

「それみてみなはれ、ひとを育てよう、いう嘉兵衛の姿勢と、つる家の旦那さんの遣《や》り様はよう似てはる」

そやろか、と胸の内で呟きながら、澪は瞳《ひとみ》を閉じる。通り雨か、いきなり屋根を激しく叩《たた》く音に澪は布団の中でぎゅっと身を縮めた。雨は嫌いだった。殊《こと》に激しい雨は。気配を察した芳が手を伸ばして夜着の肩口を押さえた。

翌朝。

夜半の通り雨で洗われた町並みを、澪は、せかせかと明神下の通りから北に向かっていた。手には、漉《す》き返し紙にくるんだ油揚げ。平らかな道を真《ま》っ直《す》ぐに進み、神田同朋町《どうぼうちょう》を抜けると、武家屋敷の立ち並ぶ一角に、小さな稲荷《いなり》がある。「化け物稲荷」という名前で知られた、つい先頃まで荒れ放題だった稲荷神社だ。

参ると必ず祟《たた》りがある、とか、狐《きつね》に化かされる、とか悪い噂《うわさ》が尽きなかった。が、あまりの荒れように胸を痛めた澪が草を引き、お社《やしろ》に手を入れ、何とかお参り出来るようにしたのが三月ほど前のことである。

祠《ほこら》の水を替え、神狐《しんこ》に油揚げを供えようとして、澪はおや、と思った。誰かが先に参ったらしく、神狐の足元に、油揚げが一枚、既に供えられていた。

自分以外にもお参りしてくれるひとが居るのだ、と澪は口元を綻《ほころ》ばせた。持参した油揚げを重ね置いて、祠に熱心に手を合わせる。つる家との縁を取り持ってくれたのもこの稲荷だった。種市に恩返し出来るように精進することを誓って、顔を上げた。

「私も参らせて頂いてよろしいですか？」

ふいに背後からかけられた声に、澪は驚いて飛び上がった。振り向くと、上背のある青年が、澪に控えめな笑顔を向けている。十八歳の澪より六つ、七つ、年嵩《としかさ》に見えた。総髪を後ろでひとつに束ね、こざっぱりとした無地の黄紬《きつむぎ》が品よく映っている。手に薬箱を下げているのを見ると、医者のようだった。

どうぞ、と一礼して立ち去りかけた澪を、遠慮がちな声が引きとめた。

「化け物稲荷……あ、いや失敬、ここの稲荷がすっかり綺麗《きれい》になっているので、驚きました。あなたが手入れをされたのですか？」

「管理しておられるかたを訪ねて回ったのですが、どなたもいらっしゃらないようでしたので、私が勝手に……」

誰にも顧みられないままのお社が、何の寄る辺もない芳や自分に重なって、放っておけなかったのだ。

「ちゃんと神職のかたにお願いすべきなのでしょうが、作法も何もわからないまま……」

そう言って身を縮める澪に、青年はありがとう、と頭を下げた。

「この前を通る度に気にはなっていたのですが、草を引くことさえ躊躇われて。けれど作法云々《うんぬん》を恐れて何もしないよりも、あなたのように行動することの方がずっと大切だ」

楠《くすのき》の枝先で冬鳥が、かっかと火打ち石を鳴らすような声で囀《さえず》り始めた。それが丁度、相《あい》槌《づち》に聞こえて、二人は思わず顔を見合わせて笑う。互いに名乗ることもなく別れたが、彼の言葉が胸に残り、澪はしばらく、何とも温かい心持ちになった。

「お澪坊、中ぁ入ってくれ」

昼どき、つる家の三つある長床几は蕎麦を待つ客で一杯になった。種市だけでは間に合わず、洗い場とお運びを受け持っていた澪が呼ばれて、調理場を手伝う。

「女の打つ蕎麦なんざ食いたかねぇぞ！」

空腹で苛立《いらだ》った客が声を荒げると、まあまあ、と常連客が宥《なだ》めにかかる。澪が蕎麦打ちや出汁《だし》引きに係わることはなく、薬味を刻んだり、丼《どんぶり》に出汁を張ったりするだけだ、ということを店主の代わりに説明してくれた。

種市の蕎麦は、つなぎに自然薯《じねんじょ》を用いたもので、むちむちした食感が何とも良い。今は時節柄、盛りよりも掛けの方がよく出た。澪は、出汁を丼に張る度に、立ち上る湯気から顔を背けたくなる。大坂で生まれ育ち、半年前に江戸に出て来たばかりの身。鰹《かつお》で引く出汁にも、濃い醬油の味にも、なかなか慣れることが出来なかった。

夕餉《ゆうげ》時になると、酒目当ての客がぐんと増える。つる家では毎夜、蕎麦の他に酒の肴を日替わりで二品ほど出す。調理場には今夜も深川牡蠣《かき》が控えていた。

「お澪坊、牡蠣殻焼きでも土手鍋でもない、酒に合う一品を作ってみちゃくれめぇか」

澪は内心どきどきしながらも、両の眉を下げたまま、はい、と頷いてみせた。蕎麦屋に雇われながら、その出汁がだめというのは我ながら情けなく、また種市にも申し訳が立たない。盛大に恥をかいて、少しでも成長したかった。

「で、何を作る？」

「醬油と味醂《みりん》と生姜《しょうが》で、煮てみます」

江戸に向かう道中、嘉兵衛に「味を覚えとき」と言われて口にしたものの中に、桑名《くわな》の時雨蛤《しぐれはまぐり》というのがあった。味噌たまりで蛤を煮詰めたものだが、その味噌たまりが江戸の醤油の風味に似ているのだ。蛤を牡蠣《かき》に替えてみたらどうか、と思いついた。名前は、そうだ、時雨牡蠣、というのはどうだろう。瞳を輝かせて思案する澪に、種市がこともなげに言った。

「ああ、牡蠣の時雨煮だな。良いねぇ、酒の肴になるし、俺も好物さね」

もうあるんですか、という言葉を澪は無理にも飲み込んだ。自分が考えついたのだ、他の誰かが考えついても不思議ではない。澪は萎《しお》れながらも、生姜を刻み始めた。

時の鐘が五つ、鳴り終わる頃。

まだ良いかい、と引き戸を開けて、小松原がひょいと顔を覗かせた。丁度、客が途絶えたところで、床几の真ん中に悠々と腰かけて、酒を注文する。

「今夜は土手鍋は無いのか？」

言って、小松原はにやりと笑った。澪は、先日の失態を思い出して耳まで真っ赤に染めながら、小さな、けれどよく通る声で言った。

「ございません。代わりに時雨煮はいかがでしょうか？」

「お前さんが作ったのか？」

「はい」

「ではもらおう。ところで、何でいつもそんなに呑気《のんき》そうな顔をしているのだ？　ああ、そうか、その見事な下がり眉のせいか」

そうからかって、運ばれてきた酒を口にした小松原に、澪は自分の両の眉を指で吊《つ》り上げてみせた。

「でしたら、これからお武家さまの前では、こうしています」

ついでに、口を思いきり突き出してひょっとこの真似をした。小松原が口に含んだ酒を、ぶわっと噴き出した。

「しまった、染《し》みになってしまう」

うろたえて着物の前を拭《ぬぐ》う小松原を尻目《しりめ》に、澪はぺろんと舌を出して調理場へ下がった。

「ああ、可笑《おか》しい」

芳が、目尻に溜《た》まった涙を指先で払いながら、笑い転げている。

「何べん聞いても可笑しいて、可笑しいて」

昨夜の小松原との遣り取りを、幾度も澪に語らせて、しまいには二つ折れになって笑う芳であった。その姿に、澪は胸がじんわり温かくなる。嘉兵衛が急逝して五か月たらず。澪に隠れ、声を忍んで泣く姿を知っていた。あまりに深い悲しみが芳の心《しん》の臓《ぞう》を蝕《むしば》み、枕《まくら》から頭を上げられない日々が続いていたのだ。

澪は片付けようとした箱膳《はこぜん》に目を落とす。白味噌の汁《つゆ》にからしを溶き入れたのが食欲を引きだしたのだろう、飯碗《めしわん》も汁椀《しるわん》も空になっていた。まだまだ油断は出来ないけれど、この分なら、ご寮さんはきっと良くなる。そんな明るい予感に胸を弾ませながら、澪は引き戸を開けて外の空気を部屋へ通した。せせこましい裏店《うらだな》の路地にも、暖かな日差しが溢れている。芳が、うっとりと外を見て呟いた。

「今日はまた、ええ天気やなあ」

「へえ、ご寮さん、ほんまの小春日和だす」

その細い肩に夜着をかけながら澪が言うと、芳が澪の手をそっと押えた。

「なあ、澪。一遍、お前《ま》はんの通うお稲荷さんへ、私を連れて行ってくれへんやろか？」

今朝はこれまでにない、気分がええのや、と言い添えて、芳はふんわり笑ってみせた。

金沢町から化け物稲荷まで、五町（約五四〇メートル）足らず。澪の足なら、じきだった。けれど今日は、芳を気遣ってゆるゆると歩く。神田明神の大銀杏《いちょう》の落とし物だろうか、黄色い葉が風に乗って、二人の頭上に舞い降りていた。

「昨夜の話やけど、お武家はんは、澪の作った時雨煮《しぐれに》を食べはったんか？　何て言わはったんや？」

化け物稲荷のある四つ辻《つじ》に差し掛かった時に、芳が、思いだしたように問うた。澪は、眉を一層下げて、首を振ってみせる。

「それが、『面白い』とだけ」

心底楽しそうに咀嚼して小鉢を空にした挙句、旨いでも不味いでもなく、ただ「面白い」とだけ洩《も》らした昨夜の小松原であった。

面白い、なあ、と芳は首を傾《かし》げる。

「つる家の旦那さんは、何て言うてはった？」

「何も……。ただ、他のお客さんからは『ぼんやりした味』と言われました」

ほうか、と頷いて芳は宥めるように言った。

「江戸に来て、お前はんが真っ先に言うたんが『水の味が違う』やった。水の味が違うくらいや、何もかも、大坂に居る時のようには行かん。お前はんにだけ苦労かけてしもて」

勘忍やで、という言葉を芳に言わせる前に、澪はそっとその手を取って稲荷へと誘った。

澪が化け物稲荷と出会ったのは、四月《よつき》前。ちょうど天下祭で江戸中が沸いている頃のことだ。嘉兵衛の遺骨を預けている寺へ参った帰り、不忍池《しのばずのいけ》から明神下へと続く武家屋敷の一角に、気がかりな場所を見つけた。

三十坪ほどの敷地には身の丈を超える雑草が生い茂る。入口にある朽ちた木は、どうやら鳥居の残骸らしかった。中ほどに植えられた楠が枝を張り、樹下は鬱蒼《うっそう》として暗い。草を掻《か》き分けて、奥に目を凝らすと、小さな祠が見えた。百足《むかで》や蛇を何とか避け、草や枝に手足を突かれながらも、澪は引き寄せられるように祠の前まで行った。腰を落とし、身を屈《かが》めなければ、お参り出来ないほどに小さな祠だ。右の手前に一体の神狐。古びて割れた手水鉢《ちょうずばち》も転がっていた。

神狐は以前は左右に据えられていたはずが、今は一体のこるのみ。それも耳が欠け、尾が折れ、おまけに苔《こけ》むして満身創痍《まんしんそうい》だった。手を伸ばして、神狐の顔の泥を拭ってやると、思いがけず優しい目が現れた。切れ長な瞳が、澪を見つめて笑っている。ああ、と澪は思わず声を洩らした。胸の奥に大切にしまい込んでいる、懐かしい友の瞳にそっくりだった。

「野江《のえ》ちゃんによう似てはる」

澪は呟くと、神狐の顔を優しく撫《な》でた。頭上で、無数の楠の葉が風に鳴っている。澪は顔を上げ、周囲をぐるりと見回した。この荒れようは一、二年のことではあるまい。

「こんな寂しいとこで……」

半ば朽ちかけた祠を守って、神狐は、じっとここに身を据えて時を過ごして来たのか。ふいに、神狐の孤独が胸に迫り、澪の双眸が潤んだ。誰からも顧みられない祠を守るのは辛《つら》かろう、心細さに涙したい時もあるだろう――そう思って神狐を見ると、やはり優しい目で澪に笑いかけるばかりだ。

何とかしたい。いや、何とかせねば。

澪は思案の挙句、周辺四か所の辻番を回り、相談を持ちかけた。が、どの番屋でも「悪いことは言わねえ、化け物稲荷とは係わらない方が身のためだ」とそっぽを向かれた。

ひとが係わり合いになりたがらない理由が「祟り」と知って、それなら怖くない、と思った澪である。敷地全体に手を入れることは無理でも、ひとがお参り出来るように祠までの道を作ろうと、働きに出る前の早朝から昼までを毎日通って、雑草を払い、根を抜いた。むき出しの顔や手足が虫に刺されてぶよぶよになったが、構っていられなかった。

「握り飯と水だ。あと、薬。ここに置いておくから、好きにやってくんな」

ある日、突然、そう声をかける者があった。白髪の小柄な老人だった。それまで遠巻きに眺めてはみても、係わりを恐れて澪に話しかける者など居なかった。ありがとうございます、と澪は腰を伸ばし、丁寧に頭を下げた。

竹の皮を開いてみると、三角の握り飯が三つに、蜆《しじみ》の佃煮《つくだに》が添えてあった。握り飯は、しっかり握られているくせに、口に入れるとほろほろと解《ほぐ》れる。澪は、ああ、これは料理で生きてはるひとの味や、と感じとった。老人はそれからも毎朝あらわれて、握り飯を差し入れてくれた。

およそ半月をかけて地面を整え、祠に板を張ると、何とか見られるようになった。仕上げに、神狐に赤い前掛けをかける。と、そこへあの老人が顔を出した。

「大したもんだ、お前さんは」

言って、感心したように竹の皮に包んだものを差し出した。中身はいつもの、蜆の佃煮を添えた握り飯である。感謝して頰張る澪に、老人はあれこれと話しかけた。澪から煮売り居酒屋の洗い場で働いていることを聞くと、店を移る気はないかと意気込んで尋ねた。

「俺は、御台所町で『つる家』って蕎麦屋をやってる種市ってもんだ。お前さんさえ良けりゃあ、うちで働いちゃあもらえまいか？」

ここんとこ毎日、お前さんの働きぶりを見ていて、こんな娘に手伝ってもらったら間違いなかろうと思った、と言い添える。種市の後ろで、神狐が優しく笑っていた。

「このお稲荷さんが、澪とつる家とを結んでくらはったんやなあ」

長い祈りの時を終え、合わせていた手を解《と》いて、しみじみと芳が言った。

「ご寮さんとは名ぁばかりの私に代わって、澪を守ってくれはる。ほんにありがたいこと」

この江戸で佐兵衛の帰りを待つ、と決めたものの、嘉兵衛の残してくれた僅《わず》かな蓄えも底をつき、今は澪に養われる身であることが、ただただ心苦しい芳である。

澪はわざと明るい声で応《こた》える。

「ご寮さん、私、神田明神さんの前を通る度に思うんだす。こんな大勢の参拝者の頼みごとを端から聞いてはったら、えらい長いことかかるやろなあ、て。なかなか順番が回ってけえへんやろなあ、て。罰あたりやけど、いっつもそう思います」

芳が、ぷっと吹き出した。

澪は嬉しくなって、立ち上がると両手を広げて軽やかにくるりと回ってみせる。

「けど、ここはご寮さんと私だけですよって、きっとお願いごとも神様のお耳に届きやすいと思います。きっと」

澪の言葉に芳は頷いて、もう一度、祠に手を合わせて頭《こうべ》を垂れた。澪も慌てて隣りに屈むと、両手を合わせる。

勝手なことを申しました、と詫《わ》びながら、片目をそっと開けて神狐の足元を見る。途端、あ、と声を洩らしそうになった。確かに昨日供えたはずの油揚げが消えている。周囲に視線を廻《めぐ》らせたが、どこにも見あたらなかった。

化け物稲荷で半刻《はんとき》（約一時間）ほど過ごして、芳は漸《ようや》く、重い腰を上げた。立ち上がった途端、あっ、と短く言って膝《ひざ》から崩れ落ちる。ご寮さん、と澪が慌てて駆け寄ると、

「大丈夫、ただの立ちくらみやさかい」

と気丈に言ったが、澪の手を借りても立ち上がることが出来なくなっていた。どないしよ、と澪が芳を抱き寄せたまま、おろおろと周囲を見回した、その時。

「どうかしましたか」

声の方へ首を捻《ね》じると、昨日の青年医師だった。澪が口を開かないうちに事情を察したらしく、さっと駆け寄って芳を抱き上げた。そのまま楠の根元へ運ぶと、脈を取り、下瞼《まぶた》

を捲《まく》って色を確かめる。

「立ち上がろうとしたら、こないなことに」

か細い声で訴える芳に、医師は頷いてみせる。薬箱を探している素振りに、澪は弾かれたように立ち上がった。

「ありがとう。やあ、あなたの方がずっと具合が悪そうですよ」

真っ青な顔で薬箱を差し出す澪に、男は笑顔を向ける。体の震えが止まらない澪だった。

医師は薬箱から小さな丸薬を取りだすと、竹筒の水とともに芳に飲ませた。それから澪に向き直って、温かい声で告げた。

「心配せずとも大丈夫。血虚、という症状だけれど、命に係わるものではないですからね」

良かった、と思うと同時に涙が噴き出した。何とか堪《こら》えようと唇を引き結んだが、涙はぽろぽろと大きな眼《まなこ》から零れ落ちてその胸元を濡らした。

「泣くのはあと。お母さんを家にお連れしましょう。悪いが薬箱をお願いします」

青年医師は地面に片膝をついて腰を落とすと、さ、おぶさってください、と芳に背中を向けた。

「母娘《おやこ》ではない？」

湯飲みを手にした医師が、驚いたように顔を上げた。

はい、と答えて、澪は布団の芳にそっと視線を移す。

「こちらはご寮さん――大坂では奉公先の女将さんのことをそう呼ぶのです。私は奉公人で、澪と申します」

「もうとうに大坂の店は焼け、江戸店も無《の》うなってしまいました。それやのに、この子は私のことをまだご寮さん、と立ててくれます」

横になったまま、芳が掠《かす》れた声で補った。なるほど、とわかったような、わからないような顔で頷くと、青年は居住まいを正した。

「ご挨拶《あいさつ》が遅れました。私は、神田旅籠町《はたごちょう》の医師で永田《ながた》源斉《げんさい》と申す者です」

名乗った途端、ぎゅるるる、と大きな音がした。何事か、と芳が半身を起こしかける。

これは失敬、と源斉は慌てて腹を押さえた。

「いやはや、何もここまで大きな音で鳴かずとも良いものを」

恥ずかしそうに頭をかく姿に、澪は思わず吹き出した。ごめんなさい、と慌てて口を押さえて、転がるように土間へ降りた。

御櫃《おひつ》を覗くと、朝炊いたご飯の水分が飛んで良い塩梅《あんばい》になっている。流しには今朝、棒手振《ぼてふ》りから買った青菜。だが福菜を作っている時間はなさそうだ。

「では私はこれで」

「源斉先生、今、澪が何ぞ作りますので、どうぞ食べていっておくれやす」

帰ろうとする源斉を、芳が引き留める。澪は桶《おけ》の中で手をきれいに濯《すす》ぎながら言った。

「冷やご飯のお握りですが、すぐ出来ますので、召し上がってください」

「いや、そんなわけには」

遠慮する源斉に、澪は笑顔を向ける。

「上方風の牡蠣《かき》の時雨煮《しぐれに》も付きます」

昨夜、店で余った時雨煮を、例によって種市が持たせてくれたものだ。

上方風の、と呟いて源斉が喉を鳴らした。

「はい、牡蠣の時雨煮でございます」

つる家で不評だったことは伏せて、澪はにっこりと笑ってみせた。

手を濡らし、焼き塩を付けて冷や飯を小ぶりの俵の形に握り、平皿に並べていく。先を濡らした箸に、炒《い》った黒胡麻《ごま》を付け、俵の上にちょんちょんと置いて仕上げた。牡蠣の時雨煮を小鉢に装《よそ》い、角盆に載せて、源斉のもとへ運ぶ。

「変わった形の握り飯ですね」

どれ、と源斉はひとつ摘まんでひょいと口に入れた。うん、と大きく頷くと素早く小鉢に箸を伸ばす。よほど空腹だったのか、皿と小鉢が空になるまで口も利かないままだった。旺盛《おうせい》な食欲は、それだけで傍《そば》にいるものを幸福にする。芳と澪はそっと互いを見合った。

「いやあ、旨かった。本当に旨かったです。久々に寿命が延びた心地がしました」

言いながら、空の皿を未練そうに眺める源斉に、二人が笑いを嚙み殺した。

「上方の牡蠣の時雨煮は、色白で味が控えめなのですね」

源斉の言葉に、澪は、あっ、と思う。料理は色めがとても大切なのだ。大坂の醬油は薄色で素材の色を殺さない。江戸は逆で、醬油の濃い色に染まった方を「旨い色め」と感じるのではないか。色が付くのを恐れて、醬油をつい控えてしまうが、つる家の暗い灯《あか》りの下、色めの薄い時雨煮は客の目に少しも旨そうに映らなかったのではないだろうか。

「江戸は塩辛い料理が多おますなあ。こちらに来たばかりのころは、喉が渇いて渇いて、敵《かな》いませんでした」

芳が控え目に言うと、源斉は、ああ、それは、と僅かに身を乗り出した。

「私が思うに、江戸は職人が多い。たとえば大工などは体を酷使するから、年中、汗を大量にかくのです。汗をかくと、体から塩けが抜けてしまう。だから自然と塩けの強い、味の濃いものを好むようになるのですよ」

「ああ、なるほど」

ぽん、と澪が両手を打ち合わせた。つる家に集う客たちが濃い味付けを好むのは、そうした理由からだったのか。その道理も知らないまま、ひたすら、上方の味の方が良い、いつかはその良さをわかってもらえる、と思い込んでいた澪である。源斉の指摘に、まさに目から鱗《うろこ》が落ちる思いであった。

医師を送って表通りに出ると、澪はおずおずと薬礼のことを尋ねて、出来れば少し待ってもらいたい、と身を縮めて頭を下げた。

「薬礼ならもう頂きました」

握り飯のことを言っているのだと悟った澪は、慌てて首を振った。

「源斉先生、それはいけません」

「良いのですよ。それより、今後も何かあれば遠慮なく訪ねていらっしゃい」

源斉は朗らかに言うと、軽い足取りで行ってしまった。澪は、その後ろ姿に深く一礼する。ひとの情が骨身に沁《し》みて、源斉の姿が通りの向こうに消えてしまっても、顔を上げることが出来なかった。通りがかりの子供が、俯《うつむ》いて泣いている澪のことを、不思議そうに見上げていた。


「お澪坊、一体どうしちまったんだい」

夕方の客を迎える前の、つる家の調理場。

澪の作った里芋の煮付けを味見して、種市が驚きの声を上げた。

「こいつはまた滅法旨い。色もまた良い。この間までのとは別物じゃねぇか」

別物、と言われて、喜ぶべきかどうか、澪の両眉が微妙に下がった。

「鰹の濃い出汁《だし》と、味付けのお醬油を心持ち余計に入れたんです」

鰹の出汁、と種市が皺《しわ》に埋もれた目を見張る。

「おいおい、大事な出汁まで上方から江戸へ鞍替《くらが》えかい？　そいつは豪気だ」

豪気、と言われ、澪は弱って眉を下げた。

江戸に暮らしてみて初めて知ったことだが、昆布はさほど人気のある食材ではない。油で揚げたものを行商から買って口寂しい時に食べる、あるいは、結んだり刻んだりして煮物に使う、その程度である。出汁を取ろうとするものなど皆無に等しい。それに、これは澪自身が痛感していることだが、手順を守って昆布で出汁を引いても、どうにも一兆庵に居た頃のような味が出ないのだ。あたかも昆布が江戸の水を拒んでいるかのようだった。

「なら、昆布を仕入れるのは控えておくか」

種市の言葉に、僅かながら安堵《あんど》が滲《にじ》むのを、澪の耳は確かに捉《とら》えた。棚に重ね置かれた上質の真昆布に目をやって、澪は今更ながら、種市が澪のためだけに高価な昆布を仕入れていてくれたことを悟った。

何故《なぜ》だろう？　もっと早いうちに「無駄だから止《や》めろ」と言ってくれたら……。否、違う、と澪は首を振ってその考えを打ち消した。白味噌でもそうだった。種市は無駄になると知っていても、何も言わないのだ。澪自身が気付いて改めるまで手も口も出さない。

——旦那さんは、何でそこまでして、この私に？

種市に深く感謝しつつ、その考えていることが今ひとつ、澪にはわかりかねるのだった。

その夜は、里芋の煮付けが実によく出た。味を気に入った客が二回、三回、とお代りを注文するものだから、まだ早いうちに売り切れてしまった。

「呆《あき》れたねえ、いつもは肴をお代りする客なんざ居ねぇのによ」

空になった鍋の底を覗き込んで、種市が目を丸くする。澪は澪で、やっと客に喜んでもらうことが出来て、心底ほっとしていた。

夜五つ半（午後九時）。そろそろ店じまい、という頃に、

「悪いな、一杯だけ呑ましてくれ」

と、小松原が寒そうに入って来た。

「ついでにこいつを切って食わせてくれ。五切れもあれば上等だ。あとはそっちで取ってくれたら良い」

そう言ってぬっと差し出したのを見ると、縄で結わえた大根のようだった。ほのかに甘く香るのは麹《こうじ》だろうか。

種市が、ああ、と合点した声を上げる。

「そうか、今日はあの日でございましたねえ。旦那、大伝馬町《おおでんまちよう》まで足を延ばされなすったんですか」

「そうなのだ。つい、足が向いてしまってな」

やけに上機嫌な二人の会話を聞きながら、澪は、はて、と首を捻る。今日、神無月《かんなづき》の十九日がいったい何の日なのか、澪には皆目見当もつかなかった。

「お相伴にあずかれるとはありがてぇや。あっしはこいつを今すぐ切って参ります。お澪坊、旦那に酒を頼んだよ」

そう言うと、種市はもう客が入って来ないように店じまいにかかった。

小松原は、熱い燗酒《かんざけ》が好みだった。澪は、じりじり熱を持ったちろりを床几に運ぶ。待ちかねたように受け取って、種市は小松原の盃《さかずき》に注《つ》いだ。小松原が種市にも勧める。澪は、いつでも燗がつけられるように、少し離れて控えていた。

「旨いな、親父《おやじ》」

「へえ、生き返りやす」

二人がすっかり幸せになっている間も、澪の目は、床几に置かれた漬物鉢に釘付《くぎづ》けだ。鼻をひくつかせて、匂《にお》いを確かめる。甘酒に似た香りは、米麴のものに違いない。とすると、大根の麴漬けだろうか。

小松原がいきなり笑い出した。

「おい、そんなにひくひくやられちゃあ落ち着いて呑めねぇぞ。良いからこっち座りな」

澪がおずおず向かいの床几に座ると、食ってみるか、と楊枝《ようじ》に一切れ刺したものが差し出された。脇の種市を見ると、構わねえよ、と笑っている。澪は薄暗い灯りの下、目を凝らして漬物を見てから、そろりと口に運んだ。

「どうだ?」

澪の指先から楊枝を引き抜くと、小松原が尋ねた。澪は思案顔で答える。

「甘いです。麹漬けらしいので甘いだろうとは思っていましたが、びっくりするほど甘い」

「べったら漬け、ってぇんだぜ。お澪坊」

種市が、ちろりをひっくり返して、滴を盃で受けながら言う。

「毎年、恵比寿《えびす》講の前の日は大伝馬町でべったら市てぇのが開かれるのさ」

変な名前の漬物だ、と思いながら、澪は小松原がまた取ってくれた一切れを遠慮なく食べた。好きな味だった。澪に限らず、大坂のものは米に弱い。味噌も米で作った甘い白味噌を好む。この甘いべったら漬けを旨いという江戸で、白味噌の土手鍋が嫌われるのは、何となく納得の出来ない澪である。

「お前さん、幾つになるんだ?」

種市が運んできた新しいちろりを断って、小松原が澪に問うた。

「十八です」

「何だ、結構いってるんだな。親父が『お澪坊』なんて呼ぶから、もっと子供だと思っていたぞ。まあ、親戚《しんせき》なら、いつまで経《た》っても子供扱いは仕様があるまいが」

床几に銭を置いて立ち上がった小松原に、種市が首を捻って、旦那、と呼びかけた。

「思い違いなさっていなさるようですが、あっしはお澪坊の親戚筋じゃあありませんぜ。まあ、こんな娘が……いや、孫だな、孫が居たらどんなに心強いか、とは思いますがね」

酔いのせいか、老いた眼《め》が潤んでみえる。

違うのか？　と意外そうに小松原は澪と種市を交互に見た。それが事実だと知れると、首を振り振り、解《げ》せん、と呟きながら、澪に送られて外に出た。

「お澪坊とやら、店主を大事にしろよ。どんな訳があるかは知らないが、あの親父が並はずれてお前を大事にしているのは確かだ」

いつもの揶揄《やゆ》する口調ではなかった。澪は、心から「はい」と答えて静かに頭を下げた。

冷たい夜風が肌を刺し、小松原は、おお寒、と首を竦めてみせる。

「俺の一回り下だ、干支《えと》は卯《う》だろ？　気をつけな、卯年生まれは銭で苦労する」

そう言い捨てて、小松原は月明かりの下、足早に遠ざかって行った。


日本橋、炭町。

竹河岸と接しているせいか、風の中に青竹の爽《さわ》やかな匂いが混じる。二階家の壁面を利用して、斜めに立て掛けられた無数の竹を横目に見ながら、澪は、息を詰めて歩いていた。ひとり歩く地べたが、ひとり見る景色が、辛くてならない。だが、月に一度、嘉兵衛の月忌《がっき》には必ずここに足を運ばずにいられなかった。

目指す店が見えた。間口六間（約一〇・八メートル）、さほど大きくはない。だが、出格子にこけら葺《ぶき》の通り庇《ひさし》は上方風の建前で、派手ではないが十分に吟味されたものだ。天満一兆庵の本店に似せるため、大坂から棟梁《とうりょう》を送り込んでの普請、と聞いている。今は水茶屋の暖簾《のれん》の掛かるその店の前で、澪は、そっと両の拳《こぶし》を握った。店の表に、夕べからのものと思われる客の吐しゃ物がそのままにしてあった。

「うちに用かい？」

ふいに、格子越しに声を掛けられて、澪は、弾かれたように店の前を離れる。驚きのあまり、心の臓が口から飛び出しそうだ。いつもなら熱心に手を合わせる竹河岸稲荷も素通りして、白魚橋《しらうおばし》へと逃げた。逃げる必要など何もないのに。

橋の真ん中あたり、欄干に両手をついて荒い息を整える。眼下、下総《しもうさ》からの使者か、京橋《ばし》川を幾艘《いくそう》もの竹筏《たけいかだ》が漂っていた。目を転じると、稲荷越しに先の水茶屋がよく見通せる。

違う、あんな下品な暖簾ではない。

違う、あんな汚らしい店先ではない。

澪は込み上げて来る激情に、奥歯を嚙み締めて耐える。

あそこには本当は、染み一つない真っ白な地に、丸に天の文字を染めた暖簾が掛かっていたはずだ。天満一兆庵の江戸店として、若旦那の佐兵衛が店主を務めていたはずなのだ。

――無念や、無念でならん

澪の耳に、嘉兵衛の今わの際《きわ》の声が蘇《よみがえ》る。

――澪、託せるのはお前はんだけや。何としても天満一兆庵の暖簾を、この江戸にこの通りや、と最期の力を振り絞って奉公人に手を合わせてみせた主人の姿を、澪は忘れることが出来ない。

嘉兵衛の手を握り、必ず、と誓ったものの、実際は芳と二人、食べていくだけで精一杯の毎日。行方知れずの佐兵衛の消息も全くつかめず、一兆庵の暖簾を揚げることなど夢のまた夢なのだ。

――旦那《だん》さん、勘忍しておくれやす

澪は唇を引き結んで天を仰ぐ。情けなさで胸が張り裂けそうだった。

よーい、よーい、と筏船の船頭の声が物哀《ものがな》しく響いている。澪は、息をひとつ吐き、反対の欄干へ移った。ここは二つの流れが交差するため、京橋川の下流に向かって冂の形に三つの橋がかかっている。白魚橋の左手に弾正橋《だんじょうばし》、右手に真福寺橋《しんぷくじばし》。澪にはここが江戸中で最も辛く、同時に最も愛しい場所だった。

澪さん、と誰かに呼ばれた気がして振り返ると、橋のたもとに源斉が立っていた。

「ああ、やはり澪さんでしたか」

大股《おおまた》で近寄って、源斉は気がかりな様子で澪の顔を覗き込んだ。

「顔色が悪い。大丈夫ですか?」

「大丈夫です。源斉先生、往診ですか?」

「ええ。この先の水谷町へ行った帰りです。澪さんはどうしてこんなところに?」

源斉は言って、京橋川の下流に眩《まぶ》しそうに目をやった。澪は少し躊躇ってから口を開く。

「……生まれ育ったところによく似ているんです。ここから見る風景が」

「大坂の?」

「ええ、四《よ》ッ橋《ばし》というところです」

四ッ橋、と源斉は屈託のない声で繰り返す。

「奇遇ですね、ここは三《み》ッ橋《はし》と呼ばれているんですよ。四ッ橋、ということはあちら側にも橋がかかっているんですね?」

源斉が白魚橋と対峙《たいじ》する方角を指差した。

こっくりと澪が頷いてみせる。

「大坂では夏の夕暮れ時になると、みんな夕涼みがてら、その四つの橋を巡《めぐ》るんです。江戸で、こんな風に大坂を偲《しの》べる場所があるだなんて思いませんでした」

澪は、じんわりと滲み出した涙を悟られぬように、竹河岸の方に向って橋を渡り始めた。

源斉もこれに倣《なら》う。

「若旦那さんがここに江戸店を出されたのも、そうしたお気持ちからかも知れません」

「先日、ご寮さんが仰っていた店……」

躊躇いがちに言葉を切った源斉に、澪が、ついっと柿色《かき》の暖簾を示す。

「あれがそうでした。半年前、旦那さんがご寮さんと私を連れて、若旦那さんを頼って江戸に来て……」

澪は、その時の光景をありありと思い出す。

半月かけてようやく江戸に着き、浮き立つ足で竹河岸を歩いた日。店の前に立った時の嘉兵衛と芳の驚愕《きょうがく》した顔。水茶屋の主に掛け合い、自身番を訪ね、役人を頼り、もとの奉公人を探す。公事宿《くじやど》に腰を据えて、打てる限りの手を打った。そうして得られた結論は、暖簾を揚げて三年目、ようやく商いが軌道に乗り始めた時に佐兵衛が吉原《よしわら》通いに明け暮れて莫大な借財を負い、挙句、江戸店を手放して消息を絶ったということだった。

無論、そんな話を信じる嘉兵衛ではなかったが、度重なる心労に寿命を縮め、日も射《さ》さぬ宿の一室で息を引き取ってしまったのだ。

「では、その若旦那さんというのは？」

源斉の問いかけに、澪は首を振った。

「けど、ご寮さんも私も、諦めていません」

諦めていない、と言葉にすることで、澪は自分の心のうちの小さな灯《ひ》に気付いた。

そうや、私はまだ諦めてへん。

日々の暮らしに追われ、不安と焦燥に押し潰されそうになっても、澪は、嘉兵衛の月忌にこの場所に立つことで、その灯を絶やさずに来たのだ。諦めない、というのは胸に点《とも》った希望の灯を自らは決して消さない、ということだ。そして、諦めさえしなければ必ず拓《ひら》ける道はある。何故か今はそう信じられた。

「源斉先生、ありがとうございました」

旅籠町の四つ辻で別れ際、澪は丁寧に頭を下げた。源斉が不思議そうに澪を見る。

「何故、礼を？」

それには答えず、澪はもう一度、源斉にお辞儀をしてみせるのだった。

「お澪坊、青菜を持って帰りな」

店じまいを終えて帰り仕度をしていた澪に、種市がそう声をかける。持ちやすいように幾束か重ねて紐《ひも》をかけてあった。

でも、と澪は迷った顔で青菜を見た。良い土壌で育ったのだろう、色の濃い、しゃきんと伸びた葉が鮮度の良さを物語っている。これなら明日の夜の肴に十分使えるだろう。躊躇う澪に、種市は、良いってことよ、と無理にも青菜を押しつけた。

「出汁がらの礼に、といつもの百姓がたんまり置いていったんだ、この分じゃ明日も残る。旨いうちに貰ってくんな。遠慮はいらねえ」

つる家では、毎日、かなりの量の鰹節の出汁がらが出る。その出汁がらを、五日に一度の割りで浅草から百姓が貰《もら》い受けに来る。何でも、土に混ぜると良い堆肥になるとのことだった。

種市に礼を言って青菜を胸に抱え、つる家を出た。晦日《みそか》の夜空に月は無く、代わりに無数の星が瞬いている。澪はかじかむ手に息を吹きかけて帰り道を急いだ。

「澪、お帰り。寒かったやろ?」

珍しく芳が戸口を開けて出迎えてくれた。

「ご寮さん、早う休みはらんとお身体《からだ》に」

言いさして澪は、行灯《あんどん》の裸火と、そこに置かれた藤色の反物に気付いて目を剝《む》く。住まいには不似合いな美しい色合いの唐桟縞《とうざんじま》の反物だ。

「ああ、何でもあらへん」

澪の表情に気付いた芳は、手を伸ばして反物を後ろに隠しながら言った。

「差配さんに頼んで、仕立て物を回してもろたんや。そろそろ何ぞせんとなあ」

芳も澪も、決して裏店でのひと付き合いの良い方ではない。上方訛りの言葉や物腰がどことなく敬遠されているのも知っていた。また、事情を抱えた主従の暮らしを密《ひそ》やかに守りたい思いも強かった。だからこそ、芳が差配を訪ねてまで仕立て仕事を貰って来た、という事実に澪の胸は詰まった。

「けど、ご寮さん、まだお身体が」

澪は畳に両手をついて、芳の顔を案じるように覗いた。芳は、畳に置かれた澪の手を自身の手で優しく包んで、大丈夫、無理はせえしまへん、と柔らかに言った。

その夜、澪はなかなか寝付かれず、夜着に目の下まで潜り込んだまま考えていた。

芳が急に内職を始めたのは、嘉兵衛の月忌を過ぎて、気持ちを立て直したかったこともあるだろう。しかし、一番大きな理由は、暮らし向きの不安なのだ。明日から霜月。あっと言う間に師走《しわす》が来る。二人で無事に初めての年を越せるのか、と芳は澪の留守中、そんなことばかり考えていたのだろう。

暮らしに追われて、佐兵衛を探す努力さえ出来ていないことを思うと、澪は芳に顔向けが出来なかった。

どうすれば今の状況から抜けられるのか、澪にはわからない。しかし、種市の好意で、倹《つま》しいながらも芳と二人、何とか糊口《ここう》を凌《しの》いでいるのだ。

――あれもこれも、では結局、何も出来へん。今の私に出来ることは、つる家の「売り」になるような肴を考えることとなんや

蕎麦の苦手な者にもつる家に足を運んでもらえる――そんな、お客の幅を広げるような肴を作ることが、種市への何よりの恩返しではないだろうか。

そう言えば、と澪は思う。

里芋の煮付けを気に入った客が多く、持ち帰りを希望されるのだが、経木《きょうぎ》に入れると汁が垂れる上に、せっかくの形も崩れてしまう。持ち帰りがし易く、そして出来れば家で作れない、珍しいものがあれば。

考えあぐねるうちに、両の瞼が重くなって、澪は眠りに落ちる。落ちる瞬間、どういうわけか、いつぞやの種市の顔が脳裏を過《よぎ》った。昆布を仕入れるのは控えておくか、と言った時の、あのほっとした顔が。

翌朝。

少し寝過ごした澪は、水桶を抱えて慌ただしく外へ出た。周囲には煮干出汁《だし》の匂いが漂っている。それぞれの家で朝餉《あさげ》の仕度が滞りなく進んでいる様子だった。井戸端へ行くと、向かいの子供が笊《ざる》の底に残った煮干を口に放り込むところに出くわした。出汁を取ったあとの煮干を食べてしまうのは、裏店ではよく見る光景だった。

口を縦に開けられるだけ開いたさまは、餌《えさ》をもらう燕《つばめ》の雛《ひな》のようで、何とも愛らしい。よほど旨いのか、幼いながら両目を細めている。六つくらいか、と澪は見当をつけた。

と、その時、とうふーい、とうふー、と豆腐売りが歌うように声を上げて路地を入って来た。煮干を平らげて空になった笊を手に、子供が豆腐売りに駆け寄る。今日は母親に豆腐の味噌汁でも作ってもらうのか、と澪は優しい気持ちで眺めていた。

鍋の中で鰹節が踊っている。澪は仕込みの手を止めて、その様子を飽かず眺めていた。

「お澪坊、手が留守になってるぜ」

種市に言われて、澪は、済みません、と慌てて葱《ねぎ》を刻み始める。

出汁《だし》の引き方は店によって違うが、種市のそれは、沸騰した湯の中へ鰹節を入れ、半刻ばかり、じっくりと煮だす手法だった。出汁を引き終わったあとの鰹節は、絞り汁を煮物に使うこともあるが、大抵は専用の笊に捨ててしまう。これを百姓が貰い受けに来るのだ。

葱を刻みながら、澪は、今朝の子供を思い返していた。

澪の暮らす裏店の住人たちは、出汁を取るのに鰹節など使わない。それより遥《はる》かに安価な煮干を使い、しかも出汁を取ったあとの煮干も、勿体《もったい》ないから、と食べてしまう。

井戸端から聞こえてくるおかみさんたちの会話で知ったことだが、出汁がらの煮干で、亭主の晩酌用にもう一品作る者も居る。味の抜けた分は味噌で和えれば大丈夫さ、とからからと笑う声がしていた。そうした暮らしぶりからすれば、上等な鰹節の出汁がらを捨ててしまうのは、何とも惜しい——そう思った瞬間、澪の手が再び止まった。

もし。

もしも、あの出汁がらを使って何か良い肴が作れたとしたら……。

澪は双眸を大きく見開いたまま、今まさに出汁がらを笊に捨てようとしている種市を見た。

いけない、捨ててはいけない。

旦那さん、と叫んだ声が悲鳴の如く響いた。

その夜、出汁がらの入った笊を抱えて澪がつる家を出ると、野良猫がにゃあにゃあと後を付いて来た。ごめんね、と詫び、笊を胸に一層深く抱えると、白い息を吐きながら夜道を駆ける。

「ほうか、これを使《つこ》てなあ」

澪から仔細《しさい》を聞いて、芳は、考え込んだ。

大坂の粋筋から愛された料理屋、天満一兆庵。そのご寮さんだった芳からすれば、捨てるはずの食材を客に提供する、という前提からして受け容《い》れ難いものではあった。しかしその一方で、澪の発想の豊かさに舌を捲《ま》いてもいた。もし実現できれば、種市の負担も少なく、売り値も安価に抑えることが出来るはずだ。

「野菜の皮やへた、ほかしてしまう食材で作るんは賄い料理や。澪、あんたのやろうとしてること、賄いと同じ扱いやったら止めときなはれ」

それではつる家に迷惑をかける上、何より客に対して失礼だ、というのが芳の考えである。けんど、と言いさして、芳は口を噤《つぐ》んだ。

夫の嘉兵衛が存命なら、何と言うだろうか、ともう一度、自身に問い直す。そうして、ひとつ頷くと、息を詰めて控えている澪に向かって、こう言葉を繫《つな》いだ。

「手ぇも問ぁもかけ、お銭《あし》を取って買うて貰《もろ》ても恥ずかしないほどのものに生まれ変わらせることが出来るのなら、やっとおみ《こ》」

常々、客が家で食べられるようなものなら作るな、と言っていた嘉兵衛の言葉が芳の声に重なる。澪は、畳に両手をつき、額をすりつけて、はい、と答えた。

「帆立貝の焼き物か」

澪が運んできた肴を前に、今夜最後の客、小松原が落胆した顔になった。腸《わた》を取って塩をした帆立貝柱に二本の串を打ち、さっと炙《あぶ》ったもので、他の客には大層好評だった品だ。

つまらんなあ、と呟いた小松原、何やら上の空で脇に控えている澪を、にやりと見た。

「おい、下がり眉。こう毎回まともな肴ばかり出されると、甘い白味噌の鍋やら、色白の牡蠣《かき》の時雨煮が恋しくなるぞ」

からかわれたことにも気付かず、澪は盆を胸に抱いて、思案顔のままだ。種市が、ちろりを持って顔を出した。

「旦那、あい済みません。この娘は料理のことを考え出すと、こうなっちまうようで。おい、お澪坊！　お澪坊！」

はっと我に返った澪に、種市が、今夜はもう上がって良いぜ、と呆れた口調で言う。申し訳ありません、と澪はしおしおと項垂《うなだ》れた。

「何だか訳ありだな。ありきたりの肴より、そっちの話の方がよっぽど面白そうだ」

　小松原が目をらんらんと輝かせて、種市に酒で満たした盃を差し出した。種市は、軽く拝む仕草をすると、盃を手にひと息でぐっと呑み干した。

「すると、何か。青菜と一緒に煮びたしにか」

　ひとしきり聞き終えて、小松原が笑いをかみ殺している。

「へえ、ささがき牛蒡《ごぼう》ときんぴら風にしたり、天ぷらの衣に混ぜたり、そう言ゃぁ、溶き玉子に混ぜ込んで焼く、ってのもありました」

「ほうほう、旨そうに聞こえるが、使うのは出汁《だし》がらだろう？　何やら悲惨だな」

　項垂れたままの澪を尻目に、小松原と種市とが差しつ差されつ、失敗談を肴に盛り上がる。言い過ぎたと思ったのだろう、種市が、ふっと盃を持つ手を膝に置いて、澪を見た。

「けどね、旦那。ひとつ、これはと思うのがありまして。自然薯と出汁がらとをよく擂《す》り鉢で擂って、そいつを浅草海苔《のり》に塗りつけましてね。油でこんがり狐色に揚げるんでさあ」

　小松原の喉が、ごくんと鳴った。

「ほう、それは旨そうだ。山葵《わさび》をちょいと載せて食ってみたいな。どうして店で出さない」

「へえ、あっしもそう言ったんですが」

種市の促すような視線に、澪が口を開いた。

「自然薯は蕎麦のつなぎにするものですし、そう沢山つかうわけには……。無理をすれば、値に響きます。それに持ち帰りに向きません」

安くて、美味しくて、店を出ても楽しんでもらえるものが作りたい、と澪は語った。

「そりゃあまた何とも欲の深い」

小松原が心底あきれた声を上げた。


化け物稲荷の祠の前で、澪が首を傾げている。昨日供えたはずの油揚げが、神狐の足元からまた消えているのだ。本物の狐か、あるいは狸《たぬき》かが食べてしまったのだろうか？

「神狐さんが食べはったん？」

澪はそう声をかけながら、少し曲がっていた赤い前掛けを直してやった。

——安うて、美味しいて、みんなに喜んで食べてもらえるもんがええなあ
見知らぬ誰かの食の情景に、澪の作ったものが混ざる。それを思うだけで、澪は胸の奥がじんと痛いような温かいような、不思議な感覚になる。

何かを美味しい、と思えれば生きることができる。たとえどれほど絶望的な状況にあったとしても、そう思えればひとは生きていける。そのことを澪は誰よりもよく知っていた。

——美味しいものを作りたい

澪は、耳の欠けた神狐を撫でながら、ふと、この場所で種市にもらった握り飯を思い出す。飯の炊き方、握り方、塩加減、いずれも絶妙だった。それに、添えてあった蜆の佃煮の美味しかったこと。

——佃煮。いや、そうやないな

澪は、息を詰めてじっと考える。

ご飯に載せても良し、それだけを味わってもらえるものならなお良い。佃煮に似ていて、そうではないもの。

ああ、と澪は声を洩らす。

思い当たるものが、ひとつ、あった。

「あれやろか、ほんまに、あれやろか」

自問する澪に、神狐が笑いかけている。

澪は、祠に一礼すると、追い立てられるように金沢町を目指した。朝も早くから、下駄の音をさせて走っていく娘を、何事かと人々が振り返る。かけおろしに結った髪が崩れそうになったが、構っていられなかった。

「梅が香《うめか》?」

掛け込んで来た澪から、その名を聞いた芳が、仕立て物の手を止めた。

「梅が香とはまあ、何と懐かしい。よう箸休めにさしてもろたなあ」

へえ、と澪が荒い息を吐きながら頷いた。

梅《う》が香《か》、というのは、花鰹《はながつお》と呼ばれる薄い鰹節をさらに細かくし、醤油と煮梅とでふっくらと煮詰めたものだ。

「けんど澪、出汁《だし》がらを使うんやったら、煮梅が邪魔と違うか？」

「へえ、そやから、梅は抜きます。鰹の出汁がらを、お醤油とお酒でじわじわ炒りつけよかと」

「なら、早い話、鰹田麩《かつおでんぶ》やな」

「へえ、早い話、そうだす」

芳が、ぷっと吹き出した。

「どうもお前はんの話しぶりには、盛り上がりが無《の》うて気ぃが抜けてしまう」

澪が両眉を下げて、次の言葉を待っている。この娘は背中を押してほしいのだ、と瞬時に察した芳は、再び仕立て物の手を動かし始めると、さり気ない口調で続けた。

「出汁がらで梅が香に近いもんを作るとしたら、色々厄介やろなあ。味が抜けてることもやが、細《こま》こうするのも難儀やろ。けんど、お前《ま》はんが出来るというなら、必ず出来る」

澪が一番、聞きたかった言葉だった。

雪のない霜月は、裏店に暮らすおかみさんたちの強い味方だ。日差しは弱いのだが、空気がからりと乾いて軽く、物を干すのに重宝する。中でも、路地の奥まで長く日差しが入るような日は、野菜を干すのに最適だった。

この季節の大根や唐茄子《とうなす》を皮つきのまま、薄く切って笊に広げて干すと、味わいもよくなり、長く保存することが出来るのだ。今朝も競うように、おかみさんたちが部屋の前に笊を斜めに置き、切った野菜を広げている。

「おや、あんた」

澪が笊に広げたものを見て、向かいのおかみさんが声をかけてきた。

「一体、何を干してんだい？」

この前、煮干しの出汁がらを食べていた子供の母親で、でっぷりと太って、いかにもお人よしに見える。

「鰹節の出汁がらなんです」

「そんなもん干してどうすんだい」

どうする、と言われても。

眉を下げている澪に、おかみさんは、上方じゃあそうするのかい？　と重ねて尋ねた。

いいえ、と眉を下げたまま首を振ってみせる澪に、おかみさんは笑いだした。

「あんた、愛嬌《あいきょう》のある眉をしてるね」

「見事な下がり眉、とよく言われます」

小松原を思い浮かべて、澪は情けない声で言った。おかみさんは腹を抱えて笑っている。ひとしきり笑うと、目尻に溜まった涙を払って、真顔になった。

「何だ、気安い娘さんだったんだねえ。どうもその、あたしみたいにがさつなもんは、上方言葉ってのが苦手でね。悪かったよ、これまでろくに話もしないでさ」

謝るべきは近所付き合いを避けてきた澪の方だった。澪は改めて挨拶をし、おかみさんは「おりょう」、煮干の息子は「太一《たいち》」ということがわかった。

「あんた、それを干すのは良いが、そのままだと猫にやられちまう」

猫が屋根の上で跳ねているのを見て、おりょうが、こう提案した。

「うちの太一に見張らせておくよ。ついでにうちも煮干の出汁《だし》がらを干してみようかね」

おりょうは気の良い女で、澪が留守の間、干し物を約束通り太一に見張らせたあと、日が落ちると取り込んでくれた。ちゃっかり部屋に上がり込み、芳とも話し込んだとのこと。

夜、帰宅した澪に、芳が、嬉しそうに話した。

「ご亭主の伊佐三《いさぞう》さんと三人暮らしやそうやで。おりょうさんが言わはるんや。歳も同じ四十八。おりょうさんとご寮さん、呼び名も似てるからきっと気が合う、て」

四十八にしては子供が小さすぎる、という澪の疑問を察して、芳が声を落とす。

「火事で身寄りの無《の》うなったんを引き取らはったそうや。太一ちゃん、それがもとで、あまり口が利けんらしい。返事をせんでも気ぃ悪うせんといてくださいい、て」

澪の表情が強張《こわば》るのを見て、芳は優しい声で続けた。

「なあ、澪。ひとというのは口には出さんでも、それぞれに背負てるもんがある。せやからこそ、ひととひと、お互いに寄り添うて、慰め合《お》うて生きていくんやろなあ」


三日も天日に干すと、出汁がらは手で揉《も》むだけで脆《もろ》く崩れた。それを擂り鉢で丁寧に擂ってさらに細かくする。鍋に入れ、酒、醤油でじわじわ炒って味をつけた。

「まあ、旨いっちゃ旨いんだが」

出来上がったものに箸をつけた種市が、言いにくそうに口を開いた。

「お澪坊、この味じゃあ飽きちまう。どうして砂糖や味醂を使わねぇんだい？　調理場にあるもんは好きに使って良いんだぜ」

旨みが出てしまったあとの出汁がらなのだ、もっと味に強弱がなければ飽きられてしまう。砂糖と味醂を使うに越したことはない。しかし、ともに種市が吟味したもので、つる家の蕎麦出汁の大切な味の源である。自由に使うのは憚《はばか》られた。また、そうした上物をふんだんに使えば、売り値にも跳ね返ってくる。

まあ、使うのが出汁がらなので贅沢も言えめぇが、と断った上で種市は、こう提案した。

「口に入れた時、噛んだ時、どっちも粉を食ってる感じがいけねぇな。酒の肴なんだ、粒はもう少し粗い方が良いし、何か歯触りのあるものを入れちゃあどうだい？」

種市の意見を取り入れて、澪の試行錯誤が始まった。食感を変えるために、米や豆、胡麻や木の実などを炒って順次、混ぜてみる。

天満一兆庵の板場に居た頃は、ただ味のことだけを考えていれば良かった。今は客の懐具合をも念頭に置かねばならない。制約のある中での味作りは、しかし、澪には意外にも楽しかった。

「太一ちゃん、おはよう」

向かいの太一は、干した鰹節の出汁《だし》がらが気になるのか、朝になると、こちら側の笊を覗き込んでいる。澪が話しかけても返事が戻って来ることはなかった。その鼻から青いものが垂れているのを見つけて、澪は袂《たもと》の浅草紙を取り出す。太一の前に屈んで、そっと洟《はな》を拭いてやった。

太一は黙って、されるがままになっている。その円《つぶ》らな瞳に澪が映る。澪はふいに太一を抱きしめたくなるのをぐっと堪えた。

――太一ちゃん、お姉ちゃんも太一ちゃんと同じやったんよ

澪はその言葉を飲み込んで、そっと太一の頬を撫でる。

「さあ、じゃあ太一ちゃん、今日も見張り番をお願いできる？　お礼にお姉ちゃん、水飴《みずあめ》を買って来るからね」

太一は、こっくりと澪に頷いてみせた。

大急ぎで化け物稲荷へお参りを済ませると、澪は、神田明神の門前で水飴を買って、つる家へと向かった。神田御台所町は、城内の台所賄方の武家屋敷として拓《ひら》けた町と聞いたが今は町人の姿ばかりが目立つ。途中、嬉しそうに熊手を掲げて歩く人々にすれ違ったが、澪にはそれが何かわからない。首を傾げながら、つる家の引き戸を開けた。

「あら」

団扇《うちわ》ほどの大きさの、おかめ飾りのついた熊手が二本、帳場の脇へ立て掛けてある。

調理場から種市がひょいと顔を出した。

「早起きして、おとりさまへ行って来たのさ」

「おとりさま?」

首を捻る澪に、知らねぇのか、と種市が目を剝いた。

「そうか、上方には無ぇのか。十一月の酉《とり》の日は鷲《おおとり》神社の祭礼で市が立つのさ。そこでこうして熊手を買って、来年の福を掻き込もうってぇのさ。縁起もんだから、お澪坊にひとつやろうと思ってね」

手を伸ばして熊手を一本とると、種市は、おどけた仕草で軽く振ってみせる。

「おとりさまからの帰り、こうやって、あたりにある福を掻き寄せて、この熊手にくっつけて来たんだぜ。だから来年はお澪坊とご寮さんに、きっと良いことがどっさりさね」

笑おう、としたはずなのに、澪の目から不意に涙がぼろぼろと零れ落ちた。種市が肝を潰して、澪に駆け寄る。

「おい、どうしたんだ、お澪坊。俺ぁ、お前を泣かすようなことを言ったのかい?」

澪は激しく首を横に振り、何とか涙を止めようと思ったが果たせなかった。とうとう、両手で顔を覆ったまま、その場にしゃがみ込んで号泣する。誰かの前でこれほど激しく泣いたのは、幼い日以来だった。

日頃の澪からは思い描くことも出来ない様子に、種市は暫《しばら》く棒立ちになって見守っていた。やがて、老人は娘の脇へ屈みこんで、黙ってその背中をゆっくりと撫でてやった。

感情の波が去って、澪が鼻を啜《すす》りながら顔を上げると、種市の顔深くに刻まれた皺を涙が伝っていた。はっと息を飲んだ澪を見て、種市は初めて自分が泣いていることに気付いた。袖《そで》でぐいっと涙を拭うと、照れてみせる。

「人間、生きてりゃ泣きたくなるくらいのことはあらぁな。泣いて良い、泣いて良いのさ」

気を取り直して仕込みにかかるぜ、と言われて、澪も、はい、と笑顔になれた。

遅れた仕込みが一段落ついた時、澪はぽつんと言った。

「旦那さん、さっき……」

「何だい?」

「嬉しくて、ありがたくて、それで……」

わかってるよ、と種市は低い声で応えた。

「お澪坊は、辛い時や悲しい時に辛抱するのは慣れっこだろ？　けど、ひとから優しくされたり、心を砕いてもらったりすると弱い。俺はよ、そういう人間をもうひとり知ってる」

いや、知っていたんだ、と種市は言い添えた。その声に僅かに悲しみが滲んでいた。


甘味として、水飴を使う。

食感を変えるために、炒って砕いた鬼胡桃《おにぐるみ》を混ぜる。鰹節自体は細かくし過ぎない。

試行錯誤の末に澪はこれなら、と思う鰹田麩《かつおでんぶ》にたどり着いた。今夜あたり、あのひとが来ないものか、と思っていた矢先、うかうかと、そのひとが店じまい前のつる家に現れた。

「何だ何だ、また毒見か」

小松原が床几に置かれた小鉢を見て、うんざりした顔になる。

「人聞きの悪い。味見です」

言いながら、澪は、小松原にならぽんぽんと軽口が言えるのを不思議に思う。

例によって種市とちろりの酒を酌み交わしながら、小松原は、小鉢に箸を伸ばした。眉《み》間《けん》に皺を寄せてもぐもぐと口を動かす浪人を、澪と種市がはらはらと見守る。

「いかがです？　小松原さま。あっしはいけると思うんですがねえ。胡桃のこりこりするのがまた何とも」

自分も食べてみせながら、種市は、一生懸命に小松原の気を引こうとした。だが、小松原は、箸を置いて首を振る。

「小網町《こあみちょう》の佃煮商、伊勢屋《いせや》の名物の鰹田麩《かつおでんぶ》を知ってるか？　こいつはそれの二番煎《せん》じよ」

澪と種市は顔を見合わせた。まったく預かり知らぬことだった。二人の様子でそれを察したのだろう、新しい店だから知らなくとも無理はないが、と断った上で小松原は言った。

「炒って砕いた胡桃を入れるのは同じだが、向こうは味醂に砂糖をたっぷり、それに、何より出汁をとる前の鰹節を使っている。どう逆立ちしたって勝ち目は無い。出来の悪い二番煎じで、恥をかくだけだな」

店主と奉公人の肩が、同時にがっくりと落ちた。小松原は、やれやれ、と首を軽く振って、今日は帰るぜ、と立ち上がる。種市が慌てて先に引き戸の前へと回った。

「小松原さま、お願ぇします。どうかあっしらに知恵を貸してやってくだせぇまし」

頭を下げようとする種市の、その両肩をぐっと押し止めて、小松原は険しい顔で言った。

「親父、止せ」

斬《き》りつける如《ごと》く容赦のない口調に、種市が固まる。脇を抜けて引き戸を開けると、浪人は澪に一瞥《いちべつ》を投げて出て行った。その眼差《まなざ》しに、あからさまな非難の色があるのを、澪は見逃さなかった。

店主が一介の客に味の助言を求める、そんなみっともない真似をさせたのは、誰か──小松原の声が耳に届いた気がした。澪は、種市にも小松原にも申し訳がなく、項垂れたま ま、その場に立ち尽くした。

今にも泣き出しそうな空である。

「太一ちゃん、今日は干すの止めようね」

澪が言うと、太一は口をへの字に曲げて空を睨んだ。ごめんね、と澪は太一の頭を撫でる。井戸端では、芳とおりょうが何やら笑顔で話し込んでいた。そこへ別のおかみさんが加わる。良い光景だな、と澪の頬が緩む。「行ってきます」と声をかけると、一斉に「行っといで」と返って来た。昨夜、ひしゃげていた心が、湯戻しした高野豆腐のようにふっくらと弾力を取り戻すのがわかる。

お参りを終えるまでもってくれたら、と澪は急ぎ足で明神下の通りを抜けた。武家屋敷に差しかかったところで、ぱらぱらと雨に見舞われた。どこか凌《しの》ぐ場所を、と視線を廻らしていたら、ひょい、と頭上に傘を差しかけられた。

「源斉先生」

にこにこと源斉が笑っていた。

「濡れると風邪を引きます。お入りなさい」

これから往診に向かう、という源斉の傘に入れてもらう。

「ご寮さんは、その後、いかがですか？」

問われて、澪は笑顔になった。裏店での芳の様子を嬉しそうに話す澪に、源斉は穏やかに頷いてみせる。

化け物稲荷の前まで来た時、祠から何かが澪の頬をかすめて飛んで行った。驚いてよろける澪を源斉が抱き留める。

「大丈夫ですか？」

男の体温を感じて、澪は咄嗟《とっさ》に身を引き、済みません、とうろたえた。一体、何が起きたのか、澪にもわからない。

源斉が傘を傾げ、天を仰ぐ。

「ああ、あれだ。ご覧なさい」

雨雲が低く垂れこめた空を、一羽の鳶《とんび》が大きく旋回している。口に何か銜《くわ》えている様子だ。

「何を銜えているのでしょうか」

肘《ひじ》で雨を避けながら、源斉が訝《いぶか》しげに言う。澪は、はっとして、化け物稲荷の境内に駆け込んだ。慌てた源斉が、澪に傘を差しかけながらついて来る。神狐の足元を見る。昨日は確かにあったはずの油揚げが消えていた。

「油揚げ」

「え?」

「油揚げです、今、銜えて行ったの」

二人並んで、空を見上げる。鳶が楠の枝の伸びる先を旋回しながら、遠ざかって行く。

「あれ、鳶ですよね、源斉先生」

「ええ、確かに鳶です」

鳶に油揚げ、と同時に呟いて、二人は思わず顔を見合わせ、吹き出した。

澪や見知らぬ誰かが供えた油揚げを、どうやら鳶がああやって銜えて行っていたのだ。

とんだ結末に、澪はなかなか笑いを止められなかった。

「澪さん、傘をお持ちください」

私は患者の家で借りますから、と差し出された傘の柄を、澪は、源斉に押し戻す。

雨足は先ほどよりも強くなっていた。

「遠慮しないで。風邪を引いては大変です」

遠慮ではありません、と澪は首を横に振る。珍しく両の眉が上がっていた。

「源斉先生は患者さんを診《み》られる身。風邪を引いて大変なのは私ではなく、源斉先生です」

きっぱりと言うと、澪は、失礼します、と源斉の傘を飛び出した。明神下まで駆け降りて来た時、祠にお参りを忘れたことに気付く。しまった、と思った途端、くしゅん、とくしゃみが飛び出した。

「お澪坊、傘を持ってなかったのかい」

濡れ鼠でつる家へ駆け込んで来た澪を見て、種市が慌てて手拭いを手に飛んで来た。背中を拭いてやりながら、開け放ったままの戸口から外を見る。

「いやな降り方だな。こいつは長雨になる」

長雨、と聞いた澪が身体を震わせた。

その夜半。

眠っている間も、屋根を打つ雨の音が激しい。身体を縮めてがたがたと震える澪を、夜着ごと芳が抱き寄せる。熱があるわけでもないのに、震えが止まらないのだ。

「澪、こうして抱いてるよって安心しなはれ」

芳に抱かれながら、澪は浅い眠りにつく。

音のない夢を見ていた。

懐かしい四ツ橋の情景の中にいる。

季節は夏。澪は八つだ。夕涼みだろうか、藍《あい》木綿の浴衣を着せられて、父と母に手を引かれ、橋を順繰りに渡っている。父の体に染みついた漆の匂い、澪、と呼んでいるらしい父の口元。母が腰を屈め、澪の顔を覗き込む。両の頬にぺこんと笑窪《えくぼ》が出来ている。

ああ、お父はんや、お母はんや、と澪は嬉しくなって二人の手を二度と離すまい、と強く、強く握った。このまま、文月《ふみづき》が来なければ良い。永遠に水無月のままが良い。

場面が移ると、澪は父に背負われて、一面水路と化した道を渡っていた。明るいのは天を駆ける稲妻のせいか。横殴りの雨で視界がきかない、息もつけない。足元の水かさは増す一方で、一歩踏み間違えれば流れに飲まれてしまう。母が水に足を取られた。父が左手を伸ばす。届かない。泥水に乗って、材木の残骸や遺体が流れて来る。次の瞬間、容赦なく、濁流が家族を飲み込んだ。

「澪！」

「澪！」

うねりの中、そう叫ぶ父と母の声だけが、はっきりと耳に届いた。

声のない悲鳴を上げて、澪は飛び起きた。全身に水を被《かぶ》ったように汗をかいていた。雨はまだ続いている。澪はがたがたと震える自身の身体に両手を回した。

享和二年（一八〇二年）七月一日、長雨で淀川《よど》が決壊、大坂市中でも夥《おびただ》しい数の家屋が水没、多くの死者を出した。塗師だった父伊助《いすけ》、そして母わかもその中に含まれている。

十年経っても、目の前で濁流に父と母とを奪われた記憶は、澪の記憶の奥深く刻まれて、決して消え去ることはなかった。

「澪」

澪のただならぬ気配に、芳が身を起こした。屋根を打つ雨の音は、ますます激しくなるばかりだった。

「無理して出て来なくたって良いんだぜ」

青い顔で調理場に立つ澪を、種市が気遣った。大丈夫です、と澪は無理に笑ってみせる。こうして包丁を握っている方が気が紛れるのだ。

二日続きの雨のせいで、客足はめっきり減っていた。

「この分だと夜は暇だな。お澪坊、肴は鰹田麩《かつおでんぶ》にしてみねぇか？」

え、と澪が驚いて顔を上げる。

「でも旦那さん、あれはまだ……」

「俺が、歯触りがどうこう言ったのが悪かった。お澪坊を迷わせちまったんだ。何も入れない、田麩のままで一度、客に出してみよう。もちろん、銭は取らねぇから安心しな」

雨降りに足を運んでくれた客への、まあ、軽い礼だな、と種市は自分で言って自分で頷いてみせた。

この夜、用意した肴は鰹田麩だけだったので、つる家を訪れた客は否《いや》が応でも鰹田麩で一杯呑むことになる。お代を取らないこともあってか、概《おおむ》ね好評だった。ただし、皆、小鉢に半分も食べると箸を置いてしまう。

「旨いんだが、そう沢山は要らねぇな。酒が進むわけでもないし」

物足りなさをそう表現する客も居た。

炒って砕いた胡桃を入れれば二番煎じになる。物足りなさを補う、誰も考え付かないものがあれば、と澪は唇を結んで考え込んだ。

夜五つ（午後八時）を過ぎると、客足は止んだ。澪は引き戸を開け、外の様子を見る。雨は小降りになるどころか、叩きつけるように降っていた。青い光が空を斜めに走り、澪は震え上がる。その時、傘を傾げて近づいてきた者が居た。

「よう、下がり眉」

上機嫌の小松原からそう声をかけられるのと、雷鳴が轟《とどろ》くのとほぼ同時であった。澪は頭を抱え、崩れるように地面に蹲《うずくま》った。

気が付くと、澪は床几に寝かされていた。上から布子が掛けられている。起き上がろうとして留《とど》まったのは、小松原の口から澪の名が洩れたからだった。

「そうか、ふた親を一遍になあ」

「へえ。本人は何も話しちゃくれねぇんですが、お芳さん、て親代わりからそう聞いてます」

「なるほど。いや、それで合点がいった」

小松原が盃を空ける気配がした。

「奉公人に過ぎない澪に、お前さんがあそこまで肩入れする理由がそれだったのだな」

つる家は、吟味した材料を使い、とびきりの蕎麦を出す。しかし値は安い。幾ら売れても材料費に食われ、儲《もう》けは知れている。そんな中で澪に好き放題の試みをやらせるのが不思議でならなかった、と小松原は語った。

「いや、旦那、そいつは違う、違うんだ」

鋭い声のあと、長い沈黙があった。澪は二人に背中を向けて息を詰めたまま、種市の言葉を待った。

「あっしがこの娘に肩入れするのは、同情てぇのとは違うんですよ」

種市が、低い声でこう繋いだ。

「あっしがお澪坊と出会った水無月の十五日は、娘、つるの命日だったんで。あっしにとっちゃ、ひとりきりの大事な、大事な娘の祥月命日《しょうつきめいにち》だったんでさあ」

雨の音が、黙りこんだ二人の会話の隙間《すきま》を埋めるように響いた。やがて、家族が居たとはな、と小松原が呟き、これまで誰にも話しちゃいません、と種市が淡々と応える。

「十七で親より先に逝っちまった……。娘を亡くした経緯《いきさつ》についちゃあ勘弁してくだせぇまし。何十年経ったところで、ここを、心の臓を、刃《やいば》で抉《えぐ》られる思いに変わりねぇ」

上野宗源寺《そうげんじ》へおつるの墓参を済ませた帰り、荒れ果てた稲荷神社で、背丈よりも高い雑草を黙々と引いている娘を見かけた。後ろ姿がおつるに生き写しだった。

「ああ、おつるだ、おつるが俺んとこへ帰って来た――あっしはそう思ったんでさあ。馬鹿でしょう？　旦那。けどそう思ったんで」

種市の声が、初めて大きく揺れた。

振り向いた娘は、無論、おつるではなかった。翌日も、さらに次の日も、娘は黙々と稲荷の草を引いていた。後ろ姿が似ているだけではない、祟りなど恐れず、見返りを求めず、黙々と働くその心根こそがおつるにそっくりだった。

「お澪坊を知れば知るほど、ああ、やはりこれはおつるだ、おつるが戻って来た、と。あっしに償いをさせるために、この娘に姿を変えて戻って来てくれたんだ、と。だからね、旦那、あっしがお澪坊にすることは決して同情からじゃあないんでさぁ」

澪の双眸から涙が噴き出した。澪への気遣いの根底に、先日の種市の涙の陰に、そんなわけがあったとは思いもしなかった。大切なひとの死がもたらす喪失感、埋めようのない寂寥《せきりょう》感。いずれも澪には身に沁みていた。澪は拳で口を押さえ、嗚咽《おえつ》を嚙み殺した。

参ったな、と小松原が、溜息《ためいき》とともに零す。

「とんだ愁嘆場《しゅうたんば》だ。俺は旨い話は好むが、そういう湿っぽいのは苦手なんだ」

種市が慌てて立ち上がり、鼻を啜りながら、

「あい済みません、今すぐ熱いのをつけます」

と調理場へ駆け込んで行った。

おい、と小松原が低い声で言った。

「下手な狸寝入りは止めろ。後ろでそんなに泣かれちゃあ落ち着かなくていけない」

言うだけでは気が済まないのか、小松原は、さっと澪の寝ている傍に来て、勢いよく布子をめくった。

「起きろ起きろ、泣き過ぎるとまた眉が下がる。終《しま》いに地面に着いちまうぞ」

「小松原さま、言い過ぎです。口が曲がっても知りませんよ」

澪は、掌で涙を払いながら半身を起こした。憎まれ口を返しながらも、小松原のからりとした物言いに救われる思いだった。

「言い過ぎなもんか。泣いてる暇があったら、この鰹田麩《かつおでんぶ》を何とかしろ。こんなつまらん肴で酒が呑めるか」

小松原は小鉢を澪の前に置くと、床几に据えてある七色唐辛子に手を伸ばした。何をする気か、と見守る澪に、浪人はにやりと笑ってみせた。そして、いきなりそれを小鉢の中へと振り入れる。

「あとはそっちで考えろ」

そう言って、調理場の種市に声もかけずに、引き戸を開けて帰ってしまった。澪はわけもわからぬまま、小鉢を手に取った。上にかかった七色唐辛子と鰹田麩とを混ぜて、指で舌の先に載せる。

はっと、澪の瞳が大きく開いた。

「あれ、小松原の旦那は帰っちまったのかい」

種市がちろりを手に、調理場から出て来た。

「旦那さん、これ。これを」

転がるように駆け寄って、種市に小鉢を差し出した。こちらもわけがわからぬままに、中身をひょいと摘まんで食べた。

種市の顔色が変わる。

「お澪坊、こいつは一体……」

「小松原さまが、床几に置いてある七色唐辛子を鰹田麩に」

「七色唐辛子……」

主従は互いに顔を見合わせ、競うようにもう一度その鰹田麩を口にした。

凡庸《ぼんよう》な風味のはずが、唐辛子のつんと鼻に抜ける辛さ、胡麻の香ばしさで全く別の風味になっている。麻実《おのみ》のこつこつした食感も面白い。爽やかなあと口は陳皮《ちんぴ》の賜《たまもの》か。

「お澪坊、こいつはいける」

はい、と先ほどまで泣いていたのも忘れて、澪は意気込んで頷いた。

「でも、もうひと工夫でもっと美味しく出来るはずです。旦那さん、黒胡麻は白胡麻にしませんか」

「お、なるほど、そっちの方が色みが良い」

「唐辛子も、輪切りにしたのを混ぜましょう。きっとその方が見た目も口触りも楽しめます」

それから、と双眸を輝かせて矢継ぎ早に工夫を口にする澪に、種市は圧倒される。

とんでもない、この娘はとんでもない。あの一刻者の小松原さままで味方につけちまった――おつるも俺に大した料理の使い手を寄越《よこ》したもんだ、と種市は、夢中で話している娘の顔を眩しそうに眺めていた。

既に雨は止んでいたが、中の二人はまだそのことに気付いていない。

ぴりから鰹田麩《かつおでんぶ》、と名付けられたその田麩は、一合枡《ます》に盛り切りで八文。仲間数人でひと枡分注文して、充分に楽しめる。味わいの新しさと予想外の安さで、つる家の客を夢中にさせた。そして、澪の読み通り、持ち帰りで味を覚えた新しい客が連日、つる家に足を運ぶようになった。

「つる家の鰹田麩、ありゃあ大したもんよ。湯を一日辛抱した銭で買えて、五日はたっぷり楽しめる」

「しかし酒も飯も進むから、罪つくりだぜ」

などと、巷《ちまた》の評判を取った。

その日の分を売り切ると、ひたすら頭を下げて詫び、決して無理な売り方をしない。その姿勢がまた江戸っ子の気風に合った。

蕎麦が売れ、鰹田麩が売れて、暖簾を出してから終うまで、目の回る忙しさだった。が、種市は新たな人手を入れず、澪と二人、くるくると独楽《こま》のように働くことで凌いだ。

「お澪坊のおかげで、良い年の暮れになりそうだぜ」

明後日《あさって》は大晦日、という夜。最後の客を送り出したところで、しみじみと種市が洩らした。節季《せっき》払いの用意も滞りない。こんなことは彼の暮らしの中では珍しいことだった。

「小松原さまは」

客の手にした提灯《ちょうちん》の火が、闇夜に半分融けかかっている。それから目を逸らさないまま、澪が吐息混じりに言った。

「あれからちっともお見えになりませんね」

その声が少し切なく響いて、澪は慌てて、ひとことお礼を言いたいのに、と付け加える。

種市は頬を緩めたまま、黙って先に中へ入った。残された澪は、あかぎれだらけの手を擦り合わせながら、伸びをして闇に目を凝らす。今にも待ち人が来やしまいか、と。

一体、小松原というひとは何者なのだろう。風体はいかにも浪人だけれど、少しもうらぶれたところがない。それが不思議でならない澪だった。

翌朝。

澪は明け六つ（午前六時）の鐘の鳴る前に起き出して、手早く朝餉の用意を済ませると、芳に断わって、化け物稲荷へお参りに出かけた。明日は年越し蕎麦の仕度に追われるだろうから、年内の参拝はおそらくこれが最後になる。

朝焼けの名残りの空を、黄連雀《きれんじゃく》の群れがちりちりと鳴きながら渡って行く。澪は立ち止まって、その鳥影を見送った。

嘉兵衛を失った辛い年だった。慣れない江戸暮らしに難儀した年だった。けれど澪は決して不幸ではなかった。それもこれも、全《すべ》て、化け物稲荷の導きのように思われてならない。

しっかりお礼を言わないと、と境内に足を向けた途端、そこから出て来た人物と鉢合わせになった。相手の顔を見て、澪は息を飲む。

小松原だった。

消炭《けしずみ》色の紬に同色の綿入れ羽織を纏《まと》った姿は、人違いかと思わせるほどの男振りだ。否、今の方がずっと自然で、彼に似合っていた。小松原はほんの一瞬、大きく目を見開いたが、あっさりと澪から視線を外すと、そのままごく自然にすれ違った。

澪は、はっと神狐の足元を見る。油揚げが置かれていた。後ろを振り返ると、小松原もまた、立ち止まって澪を見ていた。

見知らぬ誰かは、このひとだったのか。祟りを恐れて参るひとも殆《ほと》ど居ない祠に手を合わせ、油揚げを供えてくれていたのは、この小松原だったのか。

小松原は黙ったまま、澪を見ている。

澪は、その視線の中にかすかな懸念《けねん》を感じ取った。口を開きかけて、思い直す。言葉にしない方が良い。彼に向き直ると、澪はゆっくりと深く頭を下げた。澪が一切《いっさい》の詮索《せんさく》をする意図がないことを小松原が読み取ってくれるだろうと信じて、思いを一礼に託す。

その刹那《せつな》、頭上から霧のような雨が降り注いで、二人は揃って空を見上げた。日差しはそのままに、微小の雨粒が煌《きら》めきながら風に舞う。その中に短い虹《にじ》が出来ていた。

「『狐のご祝儀』だな」

小松原の声に、澪は首を傾げる。その表情を見て、侍の鼻がくすんと鳴った。

「こんな天気雨のことをそう呼ぶのだ。覚えておけ、この下がり眉」

言い捨てると、くるりと背を向けて行ってしまった。

祠の前で神狐が、ふふっと笑っている。

八朔《はっさく》の雪——ひんやり心太《ところてん》

よもや女の身で吉原見物に来ることになろうとは思わなかった。

澪は両の眉《まゆ》を下げたまま、吉原廓《くるわ》、江戸町《えどちょう》一丁目の表通りで人波に飲まれていた。

ぴりから鰹田麩《かつおでんぶ》が人気で休みなく働き続けた澪に、慰労を兼ねて一度、吉原名物の「俄《にわか》」を見せてやりたい、というのは種市の発案だった。話を聞いた源斉が、年寄りと娘だけでは心配だから、と同行を申し出て、三人での道行きとなったのである。吉原へ来てみたは良いが、あまりの人出に種市たちとはぐれてしまい、見つけることが出来ない。そうでなくとも強い陽《ひ》が照りつける中、人いきれで気が遠くなりそうだった。

八月朔日《ついたち》、通称「八朔《はっさく》」は、吉原の遊女が白無垢《しろむく》姿で客を迎える紋日《もんび》で、日頃は吉原と縁のない女たちにも見物を許される。芸者や幇間《ほうかん》らによる俄狂言を始めとする、趣向を凝《こ》らした「俄」という見せものが有名で、銭を取らないこともあって、江戸中から見物客が押し掛けるのだ。俄が始まるまでの間、張見世《はりみせ》を見物するものも多く、澪は人の流れに乗ったまま、大見世《おおみせ》と呼ばれる妓楼《ぎろう》の前を通るはめになったのだ。

表通りに面した太い紅殻《べんがら》格子の奥に畳敷きの部屋があり、白無垢姿の遊女たちが色とりどりの金蘭《きんらん》の前帯姿でこちらを向いて並んでいる。島田に結い上げた髪に長い笄《こうがい》と、数が多いほど格上なのか何本もの簪《かんざし》、それに蒔絵《まきえ》の大櫛《おおぐし》を二枚ずらして挿している。頭だけでも相当に重そうだ。おまけにこの暑さと見物客の熱気である。内心はうんざりしているだろうに、いずれの遊女も涼しげな表情で控えていた。

買う気も銭もない者にじろじろ見られるのは辛《つら》かろう、と澪は自然、伏し目がちになる。魂を抜かれたように棒立ちになっている男たちにぶつかり、ぶつかりしながら、何とか仲《なか》の町《ちょう》まで戻った。仲の町は、大門《おおもん》から水道尻《すいどじり》までを貫く真《ま》っ直《す》ぐな大通りで、名物の「俄」はここで行われると聞いていた。

見物客は一向に減る気配もない。澪は顔を上げて周囲を見回した。どうやらこの廓の入口は大門ひとつきり。だから水が淀《よど》むのに似て、ひとが溜《た》まる一方なのだろう。

「お澪坊、ここだよぅ」

声のする方を見ると、引手《ひきて》茶屋《ぢやや》の前、よれよれになった種市が源斉の肩を借りてやっと立っていた。澪はほっとして二人に駆け寄った。

「噂《うわさ》に聞いちゃあいたが、この人出は正気の沙汰《さた》とは思えねえ。俺ぁ、死ぬかと思った」

種市は、ぜえぜえと肩で息をしている。大丈夫ですか、と源斉が老人を労《いたわ》った。

「この暑さに無理は禁物です。張見世を見たことだし、そろそろ引き上げましょうか」

医師の言葉に、種市は慌てふためいて、とんでもない、と声を裏返した。

「源斉先生、そいつはあんまりだ。せっかく神田からここまで出て来たんだ、もう少し居たって罰は当たりませんぜ」
年寄りの声があまりに切実に響いて、澪と源斉は顔を見合わせた。と、同時に二人して
ぷっと吹き出す。
澪に、澪に、と言いながら、俄見物を誰よりも楽しみにしていたのは、他でもない種市
本人なのだ。佐兵衛のこともあって、吉原行きにはいささか抵抗のあった澪だが、種市が
それほどまでに楽しみにしているのなら出汁《だし》にされても構わない、と思えた。
と、その時。ひときわ高い歓声が見物客たちの間から起こった。何事か、と澪が振り返
ると、若衆たちによって車のついた舞台が通りの中ほどへ引き出されたところだった。舞
台の上で、白装束に狐《きつね》面を被り、白狐《びゃっこ》に扮《ふん》した七人の女たちが、手にした三味線や鼓を賑《にぎ》
やかに鳴らして陽気に踊り始めた。
「いよっ、待ってました」
それまでよれよれだった種市が、いきなり背筋を伸ばして大きく声を張った。それを機
にあちこちから声がかかる。呼びかけに応じるように、白狐が勢いよく跳ねた。崩して後
ろでひとつにまとめた髪が、ちょうど狐のしっぽのように大きく揺れている。そのひょう
きんな仕草に、見物客から笑い声が起きた。
観客の中に混じっていた幇間《ほうかん》が、よく通る声で、「お狐さあん」と節をつけて呼ぶと、
舞台で踊っていたひとりの白狐が、「こおん、こん」と返事をしながら、狐面を外してみ

せる。見物の男たちがはっと息を飲んだ。

「こいつはたまげた、扇屋《おうぎや》の緋扇《ひせん》じゃねぇか」

先ほど澪も前を通った大見世の、稼ぎ頭の花魁《おいらん》だった。「お狐さあん」「こおんこん」という掛け合いは続き、白狐たちが次々に狐面を外す。その度に男たちの間からどよめきが起こった。

「見なよ、あれは松葉屋《まつばや》の染路《そめじ》だ」

「何てこった、大文字屋の胡蝶《こちょう》まで居るぜ」

「粋《いき》な真似《まね》をしやがるねえ。こいつは吉原の守り神、お稲荷《いなり》様の大盤ぶるまいだ」

どうやら、舞台の白狐たちは芸者ではなく、それぞれの見世の「呼び出し昼三《ちゅうさん》」、つまり最高位の遊女たちらしい。

「源斉先生、もしや最後の一匹は、噂に高い翁屋《おきなや》のあさひ太夫《たゆう》じゃあ……」

種市のうわずった声に、源斉は、さあ、どうでしょうか、と首を捻《ひね》る。

幇間が、さあ、ご一緒に、という素振りで観客を煽《あお》った。一同が声を揃《そろ》えて、お狐さあん、と呼ぶと、最後の白狐は面を取る代わりに舞台の上でくるりと宙返りをしてみせた。

鮮やかな身のこなしに、見物客は大喜びし、割れんばかりの拍手を送る。澪も夢中で手を叩《たた》いていた。若い衆たちの手で舞台が下げられても、拍手はなかなか鳴り止《や》まなかった。

「さあ、ではそろそろ帰りましょうか」

源斉が、まだ夢見心地の種市の肩をぽんぽんと叩いた。

大門では、屈強な男たちが総勢八名、二人ずつ組になって、一段高いところから出入り客に目を光らせている。その張り番が「女は切手、女は切手」と叫ぶのを聞いて、澪ははっと帯の間を探った。そこに挟んでいたはずの紙片がなかった。

今日のような紋日には、一般の女客に紛れて、吉原を逃げ出す遊女がいるのだろう。女性の見物客は、あらかじめ大門手前の五十間茶屋か会所で「切手」と呼ばれる通行証をもらっておいて、帰りにはそれを提示する仕組みになっていた。

どこかで落としたのに違いない。戻って探そう、と澪は、おろおろと人波を掻《か》き分ける。

「おい、そこの女。切手はどうした」

澪の動きを不審に思ったのだろう、張り番が飛んで来て、澪の襟を後ろから乱暴に摑《つか》んだ。澪は宙《ちゅう》吊りになって、手足をばたばたとさせる。騒ぎに気付いた種市と源斉が駆けつけ、左右から男に飛びかかった。

「旦那《だんな》さん、源斉先生、済みません」

大門脇の会所の土間で、澪は小さくなって種市と源斉に詫《わ》びた。二人によって宙吊りは免れたものの、張り番の男たちにぐるりと囲まれ、そのまま引き摺《ず》られてここに連れて来られたのだ。土間には、澪同様に切手を失くした女たちが並んで座らされている。老婆に中年女、百姓らしい風体の女、とどう見ても足抜けとは無縁の女たちばかりである。その様子は表から格子越しに覗《のぞ》き見えて、切手を失くすとこうなるぞ、との見せしめのようだった。

「足抜けの遊女じゃあねえ、と知れたんなら、さっさと帰してくれても良いだろうに」

種市がそうこぼすと、忽《たちま》ち、強面《こわもて》の男に小突かれた。澪は男と種市の間に割って入り、乱暴は止《よ》してください、と震える声を上げる。難しい顔をしていた源斉が、心決めしたように、種市を小突いた男を見た。

「済まないが、翁屋楼主の伝右衛門《でんえもん》殿を呼んでもらえまいか」

一瞬、会所に居合わせた男たちが息を飲む気配がした。声をかけられた男が、警戒する眼差《まなざ》しを源斉に向けた。

「永田源斉が来た、と伝えてもらえばわかります」

源斉が言うと、男は不穏な眼差しのまま、黙って会所を出て行った。ほどなく禿頭《とくとう》の、でっぷりと肥えた初老の男が慌てふためいてやって来た。源斉の言っていた翁屋の楼主のようだった。土間に座らされている源斉に気付くと、うろたえて膝《ひざ》を折る。

「源斉先生、どうしてまたこんなところに」

伝右衛門に両手を取られて、源斉は情けなさそうに顔を背けた。

「私の連れが切手を無くしてしまって、足抜けの疑いを掛けられたのです。何とか許してもらえませんでしょうか」

見る間に、伝右衛門の禿頭が真っ赤に染まった。源斉に向けるのとは全く違う恐ろしい形相で、居並ぶ男衆をじろりと睨《にら》む。睨まれた男たちが一斉に震え上がる眼力だった。楼主は源斉に向き直ると、土間に手をついて、お許しください、と頭を下げた。

「とんだ不調法でございました。どうぞ験直《げんなお》しに翁屋へ。お連れのかたもご一緒に是非」

種市が驚いたように腰を浮かせる。源斉がきっぱりと首を横に振ってみせた。

「いえ、お心遣いには及びません。それよりもここに居るひとたちも一緒に許してやってはもらえまいか」

伝右衛門は、素早く女たちを一瞥《いちべつ》して、よろしゅうございます、と頷《うなず》いてみせた。それを聞いて、老婆が安堵《あんど》のあまり泣き出した。

会所を出ると、女たちが口々に源斉に礼を言って、足早に大門を通り抜けた。深々と頭を下げる張り番たちに送られて、澪たちも大門を出る。

「吉原の大見世の主と顔見知りとは……。源斉先生、一体どうしたわけなんです？」

曲がりくねった五十間道を行きながら、種市が好奇心を抑えきれないように尋ねた。

「楼主の伝右衛門殿もお内儀《ないぎ》も、私の患者なのですよ」

「へ？　それじゃあ先生は吉原へはちょくちょく？」

源斉が笑いながら、首を横に振った。

「いえ、残念ながら。診察はもっぱら今戸《いまど》の寮でしていますからね」

なんだ、と種市ががっかりした声を出す。

「俺はまた翁屋の花魁たちとも馴染《なじ》みなのかと思いましたぜ」

その声が実に残念そうに聞こえて、澪は思わず、くっくと笑い声を洩らした。何だよう、と種市がわざとむくれてみせる。

「お澪坊は知らねえだろうが、翁屋にはなあ、吉原一と言われる花魁《おいらん》が居るんだぜ」

「失礼だがその御歳で花魁に詳しいとは、いやあ、ご店主はお若い」

源斉は朗らかに笑って、澪に顔を向ける。

「吉原から『太夫』の名が消えて久しいのですが、翁屋には、客も奉公人たちも自然に『太夫』と呼んでしまうほどの器量の花魁が居るのだそうです」

「確か、あさひ太夫とか……」

澪は、白狐の舞いを見ていた時、種市がそう呼んでいたことを思い出した。

そうです、と源斉が頷く。

「その美しさはただならず、牡丹《ぼたん》の花も自ら恥じて萎《しお》れるほど、とか。唄を歌えば、その声の美しさに鶯《うぐいす》までもが聞き惚《ほ》れる、とか。ただ、どうも噂ばかりがひとり歩きしてしまって、実際にそのあさひ太夫を見た者はいないのですよ」

「まあ」

「さきほどの宙返りにしても、あれは遊女には無理だ。軽業《かるわざ》の心得のある若衆か何かでしょう。ご店主の夢を壊すようで申し訳ないのですが、あさひ太夫とは、案外、廓ぐるみで作り上げた幻の花魁《おいらん》なのではないかと」

そんなぁ、と種市が気落ちした声を洩らす。なるほど、それで先ほどは狐面を取らずにいたのか。架空の花魁を仕立てあげ、客たちの吉原への憧憬を煽り立てる——それが江戸の廓の流儀なのだろう。巧《うま》い、と澪は思わず、溜《た》め息をついた。

衣紋坂《えもんざか》を上りきり、日本堤《にほんづつみ》をそのまま左手に折れようとした時に、申し、と呼びとめる者が居た。見返り柳のすぐ傍《そば》の、掛け茶屋の前である。

「先ほど切手のことで難儀していたばあさんを助けなさいましたか？」

店主らしい男に問われて、三人は顔を見合わせる。泣いていた老婆のことらしいと知れて、源斉の代わりに種市が誇らしげに頷いた。すると男が、どうぞ中へ、と手招きをしてみせた。

「そのばあさんから銭を託されまして。こういう風体の三人連れが通りかかったら、冷たい心太《ところてん》を食べてもらってくれ、と頼まれましてね。今すぐにお持ちしますから、さあさ、中へ」

いや、それは、と迷う源斉に、種市が遠慮深いにもほどがありますぜ、とこぼす。

「心太くらいじゃあ罰は当たりませんぜ。何も見世に上がり込んでごちになろう、ってわけじゃないんだ」

翁屋に上がり損なったのを恨めしく思っている様子の年寄りに、源斉がほろりと笑った。

澪を真ん中に三人で長床几《ながしょうぎ》に並ぶ。強い日差しをよしずがさえぎって、なかなかの居心地だ。

目の前の日本堤は三ノ輪《みわ》と浅草聖天町《あさくさしょうでんちょう》とを結ぶ一本道で、左右から吉原を目指して見物客が切れ目なく歩いて来るのが見えた。

「吉原に来るには、浅草寺横の馬道、浅草寺裏手の田圃道《たんぼみち》、俺たちが来たように上野から三ノ輪に出る道、柳橋から船、と四つの道筋があるけれど、どれを取っても最後はこの土手道を通るしかないんだよな」

日照りの日本堤を眺めながら、種市が独り言のように呟《つぶや》く。息子佐兵衛の消息を求めて、天満一兆庵の主人嘉兵衛が幾度も歩いただろう道。澪は複雑な思いで堤を眺めた。

ほどなく、店主が心太の入った鉢を三つ運んで来て、床几に並べる。白地に青い色をうっすらと刷《は》いた器が何とも涼しげだ。ただ、添えられた箸《はし》が一本なので、澪は慌てて店主を呼び留めた。

「お箸が足りません」

源斉と種市が、えっ、という顔で澪を見る。

「お澪坊、心太は一本箸で食うもんだろう？」

種市の言い分に、今度は澪が、ええっ、という顔になった。箸は二本揃って一膳《ぜん》。一本箸というと、弔いの席で死人に供える枕飯《まくらめし》に挿すものを想像してしまう澪である。

気の良い店主が、笑いを噛《か》み殺しながら、澪にもう一本、箸を持って来てくれた。種市が、さあ食おうか、と床几の端に置かれている豆徳利に手を伸ばす。杉の葉が刺さった豆徳利の中身が、心太《ところてん》に注がれる。澪は思わず身を乗り出して、種市の鉢を覗き込んだ。つやつやと透明の心太が無残に茶色い汁で汚されたように澪の目には映った。

「旦那さん、一体何を」

零《こぼ》れ落ちそうなほどに目を見開いて、澪が尖《とが》った声を上げた。種市は当惑した顔を澪に向ける。

「何を、って。酢醤油《すじょうゆ》をかけただけだろう?」

「酢醤油?」

声が裏返っていた。心太に酢と醤油をかける、というのは澪には衝撃だった。

「いい加減にしてくれよ、お澪坊。そんなにいちいち驚いていられたんじゃあ落ち着いて食えやしない」

種市が悲鳴を上げると、店主と源斉とが同時に笑い出した。

「澪さん、大坂では心太に何をかけて食べるのです?」

源斉の問いかけに、澪がきっぱりと答える。

「お砂糖です」

「砂糖？」

途端に、今度は種市がのけぞった。

「一体そりゃあ、どういうことだ？」

どういうこと、と言われても。

物心ついた時から、黒砂糖を煮詰めてとろりとさせたのをひんやりした心太にかけて食べるのが、暑い夏の一番のご馳走《ちそう》だったのだ。

困惑して両の眉を下げる澪を見かねたのか、店主が笑いながら口を挟んだ。

「花魁《おいらん》たちも、砂糖の方を好むと聞いてますぜ。江戸の心太は癖がない分、砂糖にも酢醤油にも合いますからね」

「実は、私の母も、甘くした心太を隠れて食べていましたよ」

源斉も、そう言い添えた。

納得いかねえなあ、と呟きながら種市が、ずず、と一本箸で器用に心太を食べ始めた。

澪は、何もつけていない心太を一筋、箸で持ち上げて、まじまじと見つめる。大坂で馴染んでいたものよりも、心もち透明感が優っているように思う。口に運んでゆっくりと味わう。あ、と澪は目を見張った。明らかに味が違うのだ。それに歯ごたえもない。店主が、澪の顔を覗き込んだ。

「いかがです？」

「磯《いそ》の香りがあまりしません」

心太《ところてん》特有の、つん、と鼻に来る磯臭さがほとんどない。なるほど、これならばどんな味にも添うだろう。ことによると大坂で食べていたものよりも甘い味に合いそうだった。

「食べ慣れていたものよりも、こちらの心太の方が随分、品が良いように思います」

澪の言葉に、店主が、嬉《うれ》しそうに頷いた。

「それはそうですよ。江戸では心太を寒天から作りますからね」

まあ、と澪は絶句する。

通常、心太とは、天草の煮汁を固めたものをいう。寒天は、この心太を寒中に凍らせ、陽に当てて乾燥させて、を繰り返して仕上げた乾物である。寒晒《かんざら》しのところてん、だから「寒天」というのだ。江戸では、この寒天から再び心太を作ると聞いて、澪は心底驚いた。

なるほど、天草を煮返すことになるから、磯の香りは薄くなる上に、透明感も増すだろう。けれど、海藻の天草を仕入れて自分で煮て作るよりも、乾物の寒天から作る方が遥《はる》かに割高になるはずだ。その分、売り値に跳ね返るのではないのか。

澪の戸惑いを見抜いたように、店主は申し訳なさそうに言った。

「江戸の心太は、だから上方の倍の値がついているのですよ」

しかし、寒天さえあれば簡単に作れる上に、天草かすも出ないので、実に手軽で重宝するのだ、とつけ加えた。

店主に送られて茶屋を出ると、陽は頭上から少し傾き、日差しも幾分和らいでいた。風の出て来た日本堤を、赤とんぼが群れ飛んでいる。残暑が厳しいとはいうものの、季節は確実に秋になっていく。

「どうだったい？　お澪坊。初めての吉原見物は」

種市は言って、切手のことでは怖い思いをさせちまったがなあ、と頭を掻いた。澪は弱々しく首を振ってみせる。

「あれは私が悪いんです。却って旦那さんや源斉先生にご迷惑をおかけして……」

「いや、構いませんよ。美味《おい》しい心太も食べられたことですしね」

源斉が、そう言って朗笑した。

一本道を左右から来る通行人が、衣紋坂で合流して、転がるように吉原へと下りて行く。澪は足を止めて、廓に目を向けた。総坪数二万七百余坪の遊里は、眼下、無限に広がって見える。出入口は大門ひとつきり。四方をぐるりとお歯黒どぶに囲まれた、檻《おり》のような造り。張見世で見た格子の奥の遊女たちの姿が重なって思い返される。親に売られたか、自ら望んだか、いずれにしても已《や》むに已まれぬ事情で籠《かご》の鳥となった女たちを、意地でも逃すまい、という廓の姿だった。切手を失っただけであの仕打ち、足抜けに失敗したらどうなるのか、と澪は思わず身を震わせた。

「どうしたんだい？　お澪坊」

種市が澪を振り返り、怪訝《けげん》そうな顔をした。

「何でもありません、ただ」

檻から目を離せぬまま、澪は、小さな声で答える。

「私が生まれ育った家のすぐ近くにも、遊廓がありましたが、こことは随分違うと思ったんです」

「ああ、確か大坂には新町《しんまち》廓というのがありましたね」

源斉の言葉に、ええ、と澪は頷いた。江戸の吉原、京の島原、そして大坂新町は、当時、公許の三大色里として知られていた。

「家の近く？　大坂じゃあ廓は町中にあるのかい？」

吉原の周辺の田圃に目を向けながら、種市が意外そうに問う。ええ、と澪は頷いて、懐かしげな表情をみせた。

「家の裏に狭い溝があって、その向こうがもう新町廓の板塀でした。三味線の音や地歌が子守唄だったんです。父がよく『新町地歌を子守唄に寝るとは、お前《ま》はんも贅沢《ぜいたく》や』と言っていました」

そりゃ羨《うらや》ましい、と種市が心底うらやましそうな声を洩《も》らした。

「新町、という名前からして、昔は周辺に人家もなかったと思いますよ。町が出来て、ひとが集まってそういうことになったのでしょう。けれどそれなら、板塀をよじ登って逃げて来る遊女も居たでしょうね」

気の毒そうに言う源斉へ、澪は、いいえ、と応《こた》えた。

「新町では、大門は東西に二つ、他に五つの蛤門《はまぐりもん》がありました。その蛤門を使って出入りすれば良いので、別に塀をよじ登る必要もなかったと思います」

新町には、ひとたび火事になれば開く、つまり焼ければ開くから「蛤門」と呼ばれる横門があった。しかし実際は火事にかかわりなく、番人に祝儀を弾めば、こっそり出入りできる仕組みになっていた。

澪から話を聞いて、種市と源斉が、ええっ、と身を反らせる。

「そ、それじゃあ大坂じゃあ遊女は逃げ放題になっちまわないのか?」

種市の問いかけに、さあ、どうでしょうか、と澪は両の眉を下げてみせた。

廓が遊女の足抜けをどのように防いでいたのか、そのからくりを澪は知らない。ただ、水無月晦日《みなづきみそか》には新町廓から住吉までの練り歩きが催されていたし、廓の外で遊女を見かけることはさほど珍しいことではなかった。

そう言えば、と澪は口を開いた。

「新町廓には、東西の門を出たところに、『足洗いの井戸』があって、身請けされたり、年季を終えたりして廓を去る時には、必ず、この井戸で足を洗うんです。井戸の前でお祝いをして、飾り駕籠《かご》で華々しく去る遊女をお仲間の遊女が見送るのを何度も見ましたから、ここと違って新町では遊女が門の外へ出ることは、そう厳しくなかったと思います」

東の井戸は新町橋東詰の一筋東、西の井戸は問屋筋の一筋西。新町廓の遊女が廓を引く時にそのどちらかの井戸で足を洗うのを倣《なら》いとしたため、この二つの井戸は「足洗いの井戸」と呼ばれていたのだ。

「ああ、もしかして、それが『足を洗う』の語源になったのかも知れませんね」

きっとそうだ、と源斉が自分の言葉に自分で頷いてみせた。

良い話だ、と種市が感嘆の声を洩らす。

「廓の中に居る女たちにとっちゃあ、その井戸は心の支えだったことだろうよ」

「ええ。だから地元のひとたちも二つの井戸をとても大切にしていました。それなのに私ったら、幼馴染《おさななじ》みと二人で下駄を落としてしまって、大目玉を食らったんですよ」

笑いながら、澪は懐かしさで胸が絞《しぼ》られる思いだった。鼻の奥に、昔の匂《にお》いの記憶が蘇《よみがえ》る。ああ、これは四ツ橋界隈《かいわい》の刻み煙草《タバコ》屋の匂いだ。父親の身体《からだ》に滲《し》みついた漆《うるし》の匂い、母親の髪油の匂いも混じる。耳元に蘇るのは、堀の水音、新町廓の三味線の音、「逢《あ》わぬ辛さを焦がれしよりも」と哀切滲《にじ》む投節の声色。「澪ちゃん」と呼ぶ幼馴染みの野江の声。目を閉じれば、あの夏の情景が戻って来る。ふた親と幼馴染みとを失うこととなった、あの夏の日々が。

享和二年（一八〇二年）、水無月。

ことさらに暑い日だった。高麗橋《こうらいばし》通りを行く者は、肌を焼く日差しを避け、通《とお》り庇《ひさし》の下を選んで歩いていた。このあたりは大坂の中でも指折りの老舗《しにせ》が立ち並ぶ一角である。呉服問屋と菓子店に挟まれて、硝子《ガラス》や香木、書画などの珍しい渡来品を売る店があった。

唐高麗物屋「淡路屋《あわじや》」。

その淡路屋の台所で、八歳になる澪が、おろおろと野江の着物の袖《そで》を引っ張っている。

「野江ちゃん、もうええから」

「澪ちゃんは黙ってて」

野江が邪険に澪の手を払った。同い歳の野江はこの淡路屋のこいさん（末娘）で、切れ長の目を吊り上げて怒っている。

「何で私《うち》だけ義山《ギヤマン》なんよ。澪ちゃんの分はどないしたん」

ことの発端は二人に用意されたおやつの心太《ところてん》だった。この家の女衆《おなごし》が、野江には上等な義山の器、澪には粗末な波佐見《はさみ》焼きの器に心太を入れて出したことから、野江の激しい怒りを買ったのだ。

「けんど、ご寮《りょん》さんからそのように言いつかってますよって」

まだ奉公に上がって間もない女衆は、半分泣きそうな顔で答えた。野江ちゃん、と澪に再び袖を引かれて、野江はぎゅっと唇を嚙む。

「行こ」

野江は乱暴に澪の手を摑むと、台所を飛び出した。まだ口にしていない心太に心を残して後ろを振り向く澪を引きずるようにして、野江はずんずんと早足で歩き続ける。

可愛《かわい》い童女の勇ましい姿に、道行くひとがほほ笑みながら振り返る。同い歳の二人は、背丈も体格も似ている上に、髪も同じ銀杏《いちょう》に結っていた。だが、澪は粗末な藍木綿《あいもめん》の単衣《ひとえ》、野江の方は花をあしらった鴇《とき》色の絽《ろ》友禅《ゆうぜん》。暮らしぶりの違いは歴然としていた。

新町橋近くの井戸の辻《つじ》まで来た時に、野江が漸《ようや》く立ち止まった。

「澪ちゃん、勘忍」

背を向けたまま、力のない声でそう詫びる野江に驚いて、澪は慌てて前に回り、友の顔を覗き込む。

「何も謝ることなんかあらへん。野江ちゃんは大店《おおだな》のこいさん、私《うち》とは違うんやもん。そんなん、気にせんでええよ」

「それは違う」

野江は、声を荒げた。

「澪ちゃんは私の大事な友だちやんか。親の商いは関係あらへん」

色白の野江の頬《ほお》が怒りで朱に染まり、黒目がちの瞳《ひとみ》は漆を刷いたように潤んでいる。童女ながら、見る者の目を釘付《くぎづ》けにせずには置かぬほどの美しさだった。澪は友の顔をじっと見つめて思わず「きれいやなあ」と呟いてしまった。野江は一瞬、虚を突かれたように目を見張り、澪の言う意味を理解すると、気が抜けた顔を見せた。

「おおきに。けど、今そんなん褒められても」

野江の返答に、澪がぷっと吹き出した。二つ折れになって笑う澪に根負けしたのか、とうとう野江の口元も緩んだ。

「もう、澪ちゃん相手にしてたら、怒ったり、苛々《いらいら》したり出来へん」

野江は言って、足元にあった小石をぽんと蹴《け》った。小さな丸い石は少し先をころころと転がって行く。澪も真似して足元の石を蹴ろうとしたが、足を振り上げた拍子に下駄がぽーんと飛んでしまった。あ、と思った時には、下駄は井戸の中へ吸い込まれ、ぱしゃんと軽い水音が響いた。

井戸は、「花の井」とも「足洗いの井戸」とも呼ばれる、新町廓ゆかりのものだった。廓を引く遊女がここで「門出《もんで》」と呼ばれる足洗いの儀式をするのを目にしたことのある澪は、その井戸が新町の人々にとってどれほど大切かを知っている。澪は真っ青になった。

「どないしよ、野江ちゃん。怒られるし、罰が当たってしまう」

澪の激しい動揺を見て、野江は黙って自分の塗下駄を片方脱いだ。そして、それをえいっと井戸に向かって投げ入れる。驚いて目を剝く澪に、野江はにっと笑ってみせた。

「怒られるんも、罰当たるんも一緒や」

二人して井戸を覗き込んだが、深くて下駄が見えない。幾度も釣瓶《つるべ》を揺さぶって下駄を水と一緒に汲《く》みあげようとしたが、果たせなかった。

「あんたら、ちょっとこっちゃおいなはれ」

ふいに、背後から切りつけるような声が響いた。驚いて振り向くと、こってりと化粧をした女が、眦《まなじり》を吊り上げてこちらを睨んでいた。威厳はあるが、さほど若くもなく華もない。太夫や新造《しんぞ》の世話をする「引舟女郎《ひきふねじょろう》」と呼ばれる遊女のようだった。

「見てましたで。そないな悪さする子らには、お灸《きゅう》を据えさしてもらいまひょ」

女はぶりぶりと怒りながら、野江と澪の手を引っ張って、東の大門に向って歩き出した。

板塀を隔てた向こう側に住んではいても、澪は新町に足を踏み入れたことはない。子供心にも、女が身を売る場所に立ち入ることを恐ろしいと感じて、泣きそうになりながら野江を見た。だが、野江は無理に手を引かれながらも、興味深そうに周囲を見回している。

東の大門から西の大門までを貫く、瓢簞町《ひょうたんまち》。格子越しに遊女が並んでいるのが見えた。引舟は、その二つ目の辻を右に折れ、少し行くと今度は左に折れる。いきなり、両側に間口十五間（約二七メートル）を超える堂々たる揚屋が立ち並ぶ、幅の広い通りに出た。

「ちゃっちゃとおいなはれ」

二人の手を引っ張りながら、女はそのうちの一軒に入って行った。

「誰ぞ、お濯《すす》ぎを持って来なはれ」

引舟の声に、客だと思ったのだろう、心付け目当ての遣《や》り手が満面の笑みを浮かべて飛んで来た。そこに項垂《うなだ》れて立っている澪と野江を見ると、ちっと舌を鳴らす。

「ええ加減にしいや。今、水原東西《みずはらとうざい》とかいう偉い易者はんのご機嫌を取るのに忙しいんや」

遣り手が引っ込むと、引舟は二人を板の間に腰かけさせて、それぞれの足をざっと濯いで泥を落とし、手拭《てぬぐ》いで拭った。そうして、どこからかちびた下駄を持って来て、履きなはれ、と言う。

「どこの子ぉか知らんけど、ふたりとも裸足で帰るわけにいかんやろ」

てっきり酷《ひど》く怒られるものと覚悟を決めていた二人は、互いに顔を見合わせる。女は土間にしゃがんだまま、澪と野江の顔を交互に覗いた。

「ええか、よう聞きや。今はお父はんやお母はんに守られて、ぬくぬくと暮らしてるかも知れん。けど、あんたらかて、いつ何どき、私らみたいな身の上になるやも知れんのやで。新町のおんなが命の水みたいに思てる『花の井』を汚すて、そんな真似は二度としたらあかん」

引舟の言葉に、野江が項垂れる。澪は慌てて土間に移ると、両手をついて頭を下げた。

「堪忍してください。私が悪いんだす」

「あほやなあ、着物が汚れるやろ」

女が慌てて澪の手を取り、立たせようとした。その時、奥の方から気ぜわしくこちらに向かって来る複数の足音が響いて来た。

「東西先生、待っておくれやす。太夫ならじきでっさかい」

「待ちくたびれたて言うてますやろ。今日はもうお開きや」

「先生、そないなこと言わはらんと。卯吉《うきち》さんも何とか言うておくれやすな」

でっぷりと肥えた体軀《たいく》に香色の駒絽《こまろ》をさらりと着た初老の男が、遣り手やら幇間《ほうかん》やらに纏わりつかれながら現れた。先に遣り手が話していた水原東西、という易者であろうか。

澪は弾《はじ》かれたごとく立ち上がり、野江とともに引舟の背後に隠れる。

履き物に足を入れ、立ち上がりかけたところで、東西が、引舟の後ろの二人に気付いた。野江を見た途端、その顔色が変わる。

「お前はん、ちょっと面《おもて》を見せとおみ」

引舟を突き飛ばすと、東西は野江を引き摺り出し、頤《おとがい》に指をかけ、顔を上げさせる。野江が危ない、と思った澪は、思わず易者の腕にむしゃぶりついて友から引き離そうとした。

「野江ちゃんに何する気ぃや。手ぇ放し!」

「良いから、お前は引っ込んでな」

卯吉と呼ばれていた鋭い目つきの男が、背後から腕を回して澪の動きを封じる。野江はと見ると、怖がるどころか、きっと挑むように東西を睨んでいた。

「よっしゃ、次は手ぇや。掌《てのひら》を見せとおみ」

東西は野江の前に身を屈《かが》め、その左手を取った。先生も酔狂な、と遣り手が洩らす。

「大枚積んで先生の易を望む長者も仰山いてまんのに、何でそないな童女を……」

それには応えず、東西は、野江の左手をつぶさに見、今度は右の掌を開かせる。ううむ、と低い声が易者の口から洩れた。

「稀に見る吉祥。この道に入って久しいが、ここまでの強運の相を見るのは初めてや」

そこに居合わせた大人たちの顔色が変わる。卯吉が澪を突き離し、東西の脇へ膝をついた。

「先生、そんなに？」

「ああ、間違いない。これはまさに天下取り。太閤《たいこう》はんにも勝る『旭日昇天《きょくじつしょうてん》』の相や」

東西の上ずった声に、皆がわっと野江を取り巻いた。幇間が揚屋の外へと飛び出し、

「えらいこっちゃ、東西先生の易が出たで。天下取りの相や。天下取りやで」

と、興奮した口調で触れ回った。噂は瞬く間に新町中を巡《めぐ》り、旭日昇天の相をひと目みようと客やら廓の住人やらが揚屋に押しかけた。

澪はその輪から弾き出される形で、土間の片隅に呆然《ぼうぜん》と佇《たたず》んでいた。

「あの童女は、お前はんの友だちか?」

何時《いつ》の間にそこに居たのか、東西が傍らに立って、そう尋ねた。こっくりと澪が頷いてみせると、東西は、中腰になって澪の顔をじっと見た。ついで澪の左右の掌を覗く。

「ほほう、お前はんは『雲外蒼天《うんがいそうてん》』の相やな」

言葉の意味がわからず、澪は小首を傾《かし》げる。わからんか、まあわからんやろな、と東西は楽しそうに笑った。

「頭上に雲が垂れこめて真っ暗に見える。けんど、それを抜けたところには青い空が広がっている——。可哀《かわい》そうやがお前はんの人生には苦労が絶えんやろ。これから先、艱難辛《かんなんしん》苦《く》が降り注ぐ。その運命は避けられん」

不吉な予言に、澪の両の眉が下がる。東西は澪の頭を優しく撫《な》でて、こう続けた。

「けんど、その苦労に耐えて精進を重ねれば、必ずや真っ青な空を望むことが出来る。他の誰も拝めんほど澄んだ綺麗《きれい》な空を。ええか、よう覚えときや」

良いのか悪いのか、澪は自分で判断しかねて、眉を下げたまま、困った顔で東西を見上げた。そんな澪の表情が面白いのか、著名な易者はほっほと身を震わせて笑っている。ひとしきり笑うと、真顔になって、野江の方へ目を向けた。

「強い運を持つ者が必ずしも幸せとは限らんのや。器以上の運であれば、却って不幸になる」

そう呟く東西の声は、ぞっとするほど冷たいものだった。

淡路屋の末娘の野江が、水原東西の易で「旭日昇天の相」と言われたことは、数日のうちに噂好きの難波雀《なにわすずめ》たちの知るところとなった。淡路屋には一目その野江を見ようと野次馬が押しかけ、野江をうんざりさせた。

「婿養子の話が仰山持ち込まれてるらしい。私、まだ八つやのに」

手習いからの帰り。女衆を先に帰らせて、澪と並んで歩きながら、野江は不満そうに唇を尖らせた。いとさん（長姉）、なかいとさん（次姉）に持ち込まれていたはずの縁談までが、野江に振り替えられそうなのだとか。

「そら野江ちゃんは旭日昇天やもん。あやかりたい、と思うひとは仰山おるよ。苦労が絶えんで、『かんなんしんく』とか言う大層なもんが降り注ぐんと、えらい違いやわ」

澪が眉を下げてそう言うと、野江は、傘を持つ手をひょいと傾げて、友の顔を覗き込んだ。

「澪ちゃん、私は澪ちゃんが言われた『雲外蒼天』の方が良い。そっちの方がずっと良い」

てんご（冗談）言うて、と笑おうとした澪だが、野江のあまりに真剣な表情に、口を噤《つぐ》んだ。強くなる雨足に、野江は傘を戻して、低い声で続ける。

「亡《の》うなったお祖母《ばあ》はんが、よう言うてはった。『吉凶は糾《あざな》える縄』やてなぁ。天下取るような運やったら、それに見合うような不運も連れて来るんや、きっと。私はそれが怖い」

野江の言葉に、澪は大きく瞳《ひとみ》を見開いた。先日、東西が澪に語った最後の言葉は、野江には伝えていない。自分のような凡人ならば、天下取りの相、と言われれば浮かれてしまうだけなのに、野江ちゃんは違う――澪は、目の前の友の聡明なことに改めて驚かされる。野江ちゃんなら、その運に見合う器の持ち主に成長するやろう。澪はそう確信した。

雨が傘を鳴らしている。二人は暫《しばら》く押し黙って歩いていたが、野江が脇を流れる東横堀《ひがしよこぼり》川《がわ》に目をやって、

「何やえらい勢いやなあ」

と呟いた。常はこの時期、夕涼みの屋形船がのんびりと水紋を刻んでいく優しい表情の川なのに、今は恐ろしいほど急な流れになっていた。ほんまやね、と澪も頷く。雨の少ない夏だったから降るのは喜ばしいが、あまりに激しいと厄介だった。

「明日は生國魂《いくたま》はんの本宮や。それまでに止んでくれるやろか」

野江は不安そうに言った。生國魂はん、というのは生國魂神社のことで、その本宮は、つい先日終わった天満天神祭りのあとの夏祭りとして、大坂の庶民の楽しみとするところであった。

雨は夜半を過ぎ、ますます激しくなり、翌日の生國魂祭りは暴風雨の最中。風で松の木が倒れて鳥居が真っ二つに割れた。不吉な予兆のようで、誰もが畏《おそ》れおののいた。そして翌月一日。連日の長雨に堪えきれず、摂津と河内で四十三か所の堤防が次々に決壊、阿鼻《あび》叫喚《きょうかん》の地獄絵図となった。濁流は、家ごと人を飲み込み、馬や牛を飲み込み、田畑を飲み込んで下流へと向かう。天満橋《てんまばし》、天神橋など五つの橋は流失し、浅い深いの程度の差こそあれ、大坂の町は水に沈んだ。死者、行方不明者は数知れなかった。

澪は父の伊助に背負われ、一面川と化した道を渡って九条《くじょう》を目指した。伊助の仕事道具を抱えた母のわかが、これに続く。九条には菩提寺《ぼだいじ》があり、そこへ逃れようとしたのだが、それが却って仇《あだ》となった。わかが水に足を取られて転倒し、伊助が助けようとしたところへ濁流が襲ったのだ。目の前で両親が濁流に飲まれ、澪もまた溺《おぼ》れて気を失った。流木に引っ掛かっているところを役人に助けられたと聞いたが、自分では何も覚えていない。御助け小屋で幾日か過ごし、起き上がれるようになった時にそこを飛び出した。

雨は止んだものの、水はまだ引いてはいなかった。泥水の中を這《は》いながら、夢や、これは悪い夢や、と家を探す。だが、探すも何も、澪の知る大坂の景色は全《すべ》て失われていた。堆積《たいせき》した泥で一面が土色に見える。容赦ない日差しが被災地を焼き、一帯に遺体の腐敗臭が漂う。亡骸《なきがら》から奪衣婆のごとく衣を剝《は》ぐ者がいる。この世の地獄だった。八つの少女にはあまりに受け入れがたい酷《むご》い現実。そのためか、このあたりの澪の記憶は切れ切れになっている。飲み水が法外な値で売られていたこと、泥水の中で鰻《うなぎ》が泳ぎ回っていたことなど、どうでも良いことは覚えているのに、どこでどう過ごしたか定かではない。

気が付くと、ふた親によく連れて来てもらった順慶町《じゅんけいまち》を、ふらふらと幽鬼のごとく漂っていた。水害前は朝から夜まで買い物客で溢れる町だった。今、食べ物を扱う屋台見世が何軒か戻っており、団子を焼く匂いや、うどん出汁《だし》の香りが漂っている。食べ物の匂いが澪の脳を打ち抜いた。酢のつんとした香りに、甘辛く炊いた穴子の匂い。吸い寄せられるように、一軒の屋台見世の前に立つ。穴子の押し寿司が、客から取り易いように皿に並べてあった。思うよりも先に手が伸びた。だが、押し寿司を摑む前に、店主にその腕を摑まれ、捻《ね》じ上げられた。

「何さらすんじゃ」

担ぎ屋台から出て来た店主が、逃げる気力もない澪の腹を足蹴《あしげ》にする。澪は脆《もろ》くも地面に崩れた。二度、三度、と店主が蹴るのを見かねたのだろう、止めなはれ、と女の鋭い声がした。澪が翳《かす》む目を向けると、年の頃、三十七、八歳。商家の女将《おかみ》らしく立ち姿の美しい女が、店主に厳しい視線を投げている。水浅葱《みずあさぎ》色の帷子《かたびら》に笹《ささ》の葉をあしらった帯、髪に挿した珊瑚《さんご》のひとつ玉の簪に至るまで隙がなかった。脇に付き添っている若い女衆は、がたがたと震えるばかりだ。

「まだ童女やおまへんか。情無しなことして、恥ずかしないんだすか? こんな時や、勘忍したったらどないだすのや」

「けんど、こっちかて商売や」

それを聞いて女は、手にした巾着《きんちゃく》から銭を取り出して皿の脇へ置いた。

「これで文句なしや。もうこの子に手出しは無用だすで」

女の置いた銭が多かったのか、店主は、すぐ包みますよってに、と歯を見せた。女は澪の腕を取って立たせながら、毅然《きぜん》とした口調で言った。

「要りまへん。料理は料理人の器量次第。お前はんの器量のほどはようわかりました」

色を失う店主の前を、女は澪を抱きかかえるようにして立ち去った。

この女こそ、大坂の食通に愛された名料理屋、「天満一兆庵」の女将、芳だった。


天満橋の高札場から幾分北へ上がったところに、その店はあった。洪水のあと手を入れたのだろうか、漆喰壁の純白が日差しに映えて眩しい。店の表は丁寧に掃き清められ、格子に埃の浮いた気配も無かった。暖簾《のれん》は終《しま》われていたが、昆布出汁の甘い香りが、表通りまでほのかに漂っていた。

「慌てて食べたらあかん。ゆっくり、ゆっくりやで」

へっついが三つ並んだ、天満一兆庵の内所の台所。火袋から差し込む陽が、つやつやと磨き抜かれた板敷に反射している。芳はそこへ澪を座らせ、重湯を匙《さじ》で掬《すく》って、その口元へ運ぶ。長い間、まともに食事を摂っていない胃には、まず重湯から慣らして行くのが一番だというのを、芳はよく知っていた。背後に控えている女衆が鼻をつまんで必死に耐えている。澪の体は汚れ、悪臭を放っていた。このひとは何で私を助けてくれはるんやろか。客商売、それも料理屋のようなのに、と澪はぼんやり思う。

匙から重湯が口の中へ入った。

甘い。何て甘いんやろう。

澪は驚いてはっきりと瞳を開いた。米の甘みが舌から口一杯に広がった。

「どうや？　わかるか？」

芳がふんわりした笑顔を見せる。

「これがお米の味や。他には何も足してへんのやで。弱ってる時にはこういうもんを食べるんが一番なんや」

言いながら、芳が重湯をもうひと匙、澪の口に含ませる。

美味しい。

澪は心の底からそう思った。こんな時でも美味しいと思えるのが、自分でも不思議だった。芳が、澪の口の端についた重湯をそっと指先で拭う。それは、母わかの仕草を思い起こさせた。母を思った途端、澪の双眸《そうぼう》から涙が溢れて、頬を伝い落ちる。芳は何も言わず、碗《わん》と匙を脇に置くと、そっと澪を抱き寄せた。

「ご寮さん、お召し物が」

鼻を摘まんでいた女衆が金切り声で言うのを一瞥で制して、芳は澪の背中をとんとんと優しく叩いた。慰めの言葉などは一切かけなかった。そうして澪がある程度落ち着いてから裏の井戸端へ連れて行き、女衆に命じて運ばせた湯を盥《たらい》に張って、自ら澪を洗った。髪の中までこびり付いた泥を幾度も湯を替えて丁寧に洗いながら、澪から名前を聞き出す。

「ほうか、澪標《みおつくし》の澪か。ええ名ぁや」

澪は水脈《みお》、水脈のしるべを澪標と呼ぶが、長い棒の先に魚の尾の形に木を組んだそれは、航路の安全のために欠かせない。水都大坂に暮らす者には馴染み深いものだった。

風邪を引かぬように、と芳は澪の濡れた身体をしっかり拭《ふ》くと、丁稚《でっち》用のお仕着せを着せかける。

「堪忍やで。お前はんくらいの童女が居らんよって、身丈に合《お》うたもんがあらへんのや」

藍染で背中に丸に天の文字が染め抜かれたお仕着せは、温かく肌に添った。

芳が汚れた着物を洗っておくように言いつけると、若い女衆はわずかに眉をひそめた。

「中野村あたりで堤防が切れてたら、ここも皆、跡形も無《の》う流れてしもてたやろ。澪の姿はあんたの姿でもあるんやで」

芳は女衆に強い口調で言うと、澪を再び台所へ連れ戻った。そして板敷に澪と膝を突き合わせるようにして座る。

「聞いておかなあかんことがおます。辛いやろとは思うけれど、答えておくれやす」

芳の改まった声に、澪は自然と居住まいを正した。在所と親の名を尋ねられ、七月一日のことを問われた。澪は、切れ切れに答えていたが、ふたりが濁流に飲まれたあたりまで話し終わると、力尽きて板張りに突っ伏した。

芳はさっと立ち上がって、土間に降りた。天満一兆庵の作りは大坂の商家に多いもので、通り庭と呼ばれる土間が、店から内所までを貫いており、間を中戸が仕切っている。その中戸を開けて、芳は声を張った。

「誰ぞ、手ぇの空いた者は来てんか」

芳の声に、男の奉公人が二人、駆け込んで来た。

「ご寮さん、何ぞご用でおますか」

「道頓堀《どうとんぼり》の芝居小屋が御助け小屋になってる、と聞いてる。そこへ行って、四ッ橋の塗師《ぬし》で伊助、いわはるおひとのことで何ぞわからんか、尋ねてみてくれへんか？」

年少の奉公人が、へえ、と答えて中戸を飛び出していく。残った奉公人が、塗師の伊助、と口の中で呟いて、思案顔になった。

「お前はん、何ぞ知ってるんか？」

「へえ。確か、三島屋《みしまや》はんの抱え塗師の中にその名ぁがあったように思います」

「三島屋はん？　心斎橋《しんさいばし》筋の漆器問屋のか？」

芳の問いかけに、へえ、と手代らしい男は頷き、旦那さんがご存じのはずだす、と言い添える。二人の遣り取りを遠くに聞きながら、澪の意識は遠のいていった。

飯の炊ける甘い匂いがする。澪は布団の中でぐずぐずと手足を動かしながら、幸せな心持ちだった。長い長い夢を見た。恐ろしい夢だった。目覚めたら母に話そう。母の胸に顔を埋めて、どれほど怖かったか話そう。そう決めて、えい、と澪は布団をめくって半身を起こした。

華やいだ紅葉色の壁が目に飛び込んで、澪は息を飲む。畳は青々と美しく、澪の寝かされている枕元には象嵌衝立《ぞうがんついたて》。住み慣れた四ッ橋の家ではないことは、瞬時に悟られた。

――夢やなかったんや

わが身に起きたことを思い知り、澪は真っ青になってがたがたと震え出す。

「目ぇ覚めたんか」

部屋の四方を仕切っていた襖《ふすま》の一枚が開き、芳が顔を覗かせた。その襖の向こうは奥座敷になっているらしく、書きものをしている男の姿が垣間見える。芳が男に向かって、旦那《だん》さん、と呼びかけた。男が立ち上がる気配に、澪は慌てて布団から這い出して、きちんと膝を揃えて座った。

年のころ四十半ばの柔和な顔立ちの男が、ゆったりとした足取りでこちらに来て、澪の前に座る。天満一兆庵の主人、嘉兵衛だった。嘉兵衛は、芳が襖を閉めて傍に座るのを待って、静かに口を開いた。

「店の者が手ぇ尽くして聞いて回ったけんど、伊助はんとおわかはん、二人の姿を見かけた者は、残念ながら居らんかったそうや」

澪は、唇を引き結んで、嘉兵衛の顔をじっと見つめる。店主は澪の眼差しを受け止めて、こう続けた。

「水害から、じきにひと月。酷《むご》いようやが、ふた親のことは諦《あきら》めた方がええ」

旦那さん、と芳が思い余った声を上げたが、嘉兵衛は首を振って、これを制した。

「相手が童女やからと、妙な期待を持たせることの方が却って酷や。今は、ひとりで生きて行く覚悟を持たせることが一番大事なんや」

そう言って嘉兵衛は、佐兵衛、と短く声を張る。へぇ、という声がして、店に通じる側の襖が開き、若い男が入って来た。面立ちが芳に似ていることから、この屋の若旦那と知れた。佐兵衛が、手にしたものを嘉兵衛に渡す。

漆塗りの箸、一膳。

嘉兵衛は、懐から袱紗《ふくさ》を出して、箸を乗せるとそっと畳に置いた。それを袱紗ごと、ついと澪の前に差し出した。手に取ってみろ、と言われたように感じて、澪はおずおずと箸に手を伸ばした。

「ああ」

澪の口から思わず声が洩れる。艶やかな黒い漆塗りの箸は、箸先の一寸半（約五センチ）ほどの質感が異なっていた。その部分だけに乾かして砕いた漆を混ぜて塗り込んだものだった。

漆塗りの箸は食材によっては滑って食べにくい。だから箸先だけ塗り方を変える、というのは伊助の持つ優れた技だった。

これはお父はんのお箸や。

脳裏に、乾かした漆を薬研《やげん》で細かくする父の姿が浮かんで、澪は思わず箸を両の掌で包んで胸に抱き締めた。

「わかったんやなあ」

嘉兵衛の声が、初めて滲んだ。芳は、そっと瞼《まぶた》を拭っている。

「旦那さんが、『この箸はよう出来てる』言わはって、天満一兆庵ではお客さんにもお出ししてます。常は柳箸だすが、この箸やと一層、料理の味が引き立つ言わはるお客さんも多いんだす」

佐兵衛が、脇から控え目に声をかけた。

他の塗師のものでは嘉兵衛の目に敵《かな》わず、必ず伊助を指名していた、と聞かされて、澪は箸を抱きしめたまま、深く頭を垂れる。

嘉兵衛が、澪の両肩に手を置いて、その顔を上げさせた。嘉兵衛の眼差しは、とても温かかった。

「これもきっと何かの縁。どうや、澪、お前《ま》はん、うちで奉公せえへんか」

澪は店主の言葉に大きく目を見張った。

芳がそっと身を乗り出して、言い添える。

「うちの仕込みは厳しいけれど、必ず身の立つようにするさかい」

佐兵衛が、横で優しく頷いている。

澪は目を閉じて手の中の箸を握りしめた。ひんやりした箸が、手のぬくみで温かく感じられる。突然にふた親を失い、暮らしていた家も消え、面影を偲《しの》ぶよすがが何一つ無くなった。それが偶然にもこんな形で父の塗った箸と再会を果たすことができた。

この店で奉公するのだ。父の形見に囲まれて。

澪はそう心を決めると、箸を袱紗に戻した。そうして畳に両手をつき、主人に深々と頭を下げた。幼いながら、奉公の決意を込めた一礼だった。

「最初は女衆としてご奉公したはずが、旦那さんに言われて板場に入るようになって、五年目。いよいよこれから本格的な修業を、という矢先に、その天満一兆庵が、隣家からの貰《もら》い火で焼失してしまいました。今から二年前の暮れのことです」

艱難辛苦が降り注ぐ、という易者の言葉通りに、と澪は抑揚のない声で言い添えて、長い問わず語りを終えた。

種市も源斉も、さきほどから黙り込んだままだ。種市の鼻を啜《すす》る音だけが続いている。

「お澪坊、辛い話をさせちまったな」

漸く種市がぼそりと言って、真っ赤な目を恥じるように顔を背けた。

いいえ、と澪は胸を押さえてみせた。

「つまらない話をお聞かせして……。でも、このあたりが軽くなった気がします」

嘘《うそ》ではなかった。芳から聞いてすでに澪の身の上を知っている種市に、いつかは自分からちゃんと話そう、と思っていた澪だった。

「今の話で、澪さんと天満一兆庵とがどれほど深い結びつきだったか、よくわかりました」

源斉が、しみじみと言った。

「奉公人が店を失った主人と共に暮らす、というのは世間にそうある話ではないし。お二人には何かよほどの事情があるのだろう、と思っていたのです」

主《あるじ》とともに暮らすだけではなく、澪は佐兵衛を探し出して天満一兆庵の暖簾をもう一度、と思っているのだ。だが、それをひとに打ち明けるつもりはなかった。

下谷広小路《したやひろこうじ》まで戻って来た時には、西の空に夕映えの気配が漂い始めていた。源斉がふと、思い出したように澪に問うた。

「幼馴染みの野江さんとは、その後?」

澪は小さく首を振る。

「淡路屋さんは店ごと……。誰一人、助からなかった、と聞いています」

「生きてるとも」

種市の大きな声に、通行人が何事かと振り返る。構わずに彼は続けて言った。

「旭日昇天なんだろ? だったらお澪坊みたいに、親が亡くなろうと何だろうと、きっとどうにかして生き残ってるに決まってる」

種市の気持ちがありがたくて、ええ、と澪は目を潤ませながら頷いた。

「御助け小屋に居た、野江ちゃんによく似た子を、親戚《しんせき》を名乗るひとが引き取った、という噂を聞いたことがあるんです。だから私も、そう思っています」

八つで水害に遭った澪も、もう十九歳になった。生きていれば野江も同い歳。会いたかった。野江が恋しくてならなかった。

明神下で二人と別れ、金沢町の裏店に戻ると、澪の姿を見つけた太一が駆けて来た。

「太一ちゃん、ただいま」

澪がぐりぐりと太一の頭を撫でて、その顔を覗き込む。相変わらず返事はないが、澪に頭を撫でられて、少し笑うようになっていた。

どの家も夏なので戸口を開け放っている。そこから、夕餉《ゆうげ》の仕度の俎板《まないた》の音や、味噌《みそ》汁を煮返す香りが漂って来る。澪は、橙《だいだい》色に染まる裏店の路地に立って、その情景を眺めながら、ふっと涙ぐんでいた。子供の頃に失った景色がここにあった。

太一が、黙って手を伸ばし、澪の手をぎゅっと握った。澪も、太一の手を握り返す。

「ああ、澪、お帰り」

戸口から、鍋を抱えた芳が顔を覗かせる。うっかり、「お母はん」と呼びそうになって、澪はあいた方の手で口を覆った。

化け物稲荷の神狐《しんこ》の足元に、油揚げが置いてある。それを見つけて、澪の頬が緩んだ。

「神狐さん、鳶《とんび》に盗られないようにしないと」

自分が持って来た油揚げを重ねて、それを神狐の足元深くに押し込む。

小松原はここ半年ほど、つる家に姿を見せていない。こんな風に、化け物稲荷に小松原が足を運んだ痕跡《こんせき》がなければ、きっと心配でいたたまれなかったことだろう。

——小松原さまは、一体どんな願いごとをされているのだろう

澪は、昨年暮れにここで見かけた小松原の面影を思い返す。詮索はしない、と固く決めている。その願いが叶《かな》えられることだけ、こっそり祈っていたいと思う。

下がり眉、と呼ぶその声を懐かしく思いながら、祠《ほこら》の前で手を合わせる。佐兵衛のこと、芳のこと、天満一兆庵のこと、つる家のこと、太一のこと。それに加えて小松原のこと。気がつけば祈ることが少しずつ増えていた。

お参りを終えて楠《くすのき》の木陰を出ると、秋とも思えぬきつい日差しが照りつけ、澪は右手を額の上にかざした。今日も残暑厳しい一日になりそうだ。

こんな日に冷たい心太《ところてん》を食べたら、さぞや美味しいことだろう。

寒天からではなく、天草から作った磯の香豊かな心太。それなら酢醬油で食べてもきっと美味しい。思うだけで喉《のど》が鳴りそうだった。調理場に、晒し天草が少し残っていたのを思い出して、澪は弾む足取りでつる家に向かった。

「晒し天草を賄いに?」

下拵《したごしら》えが一段落したつる家の調理場で、汗を拭っていた種市が、手拭いから顔を上げる。

「別に好きに使って構わねぇよ。けど、あれっぽっちで足りるのかい?」

はい、と澪が鍋《なべ》を洗いながら頷いた。

「お客さんにお出しするわけではなく、旦那さんと私とで食べるだけですから」

「今日みたいな暑い日に天草を使って作るってんなら、あれしかないいな」

種市が、傍らの箸を一本取って、にやりと笑ってみせた。

刈安《かりやす》色の晒し天草は掌にこんもり、重さにして八匁《もんめ》(約三〇グラム)ほど。これだけあれば四人前の心太を作ることが出来る。澪は浮き浮きしながら晒し天草を丁寧に水洗いした。鍋に水を張り、酢を落とし、そこに天草を入れて弱火で煮ていく。あくを取りながら、焦げないようにしゃもじで優しく混ぜる。暫くすると、煮汁がとろんとして来た。笊《ざる》で濾《こ》して木箱に流し込む。

「随分と慣れた手つきだな。大坂に居た頃はよく作ってたのかい」

「子供の頃、母がよく。私は傍で母の作るのを見ているのが好きでした」

そうかいそうかい、と種市が優しく目を細めた。

その日は昼を迎えてますます暑くなり、つる家では冷たい蕎麦《そば》がよく出た。漸く注文が落ち着いたところで、澪は木箱から固まったものを取り出した。程よい大きさに切って、天突きで突く。冷たい水に放ち、充分に冷やしてから、笊に取って器に移した。

「冷たいのが何よりありがてえ」

汗を拭き拭き種市が、器に手を伸ばす。酢と醬油を回しかけて、一本箸で器用に口へと運んだ。

「こ、こいつは旨い」

種市の声に、店に残っていた客が何ごとか、と調理場を覗きに来た。

「蕎麦屋が賄いに心太とは驚いた。親父《おやじ》は余程、細くて長いものが好きらしい」

口の悪い馴染み客が言うのへ、種市がやり返す。

「長生きしたけりゃ細くて長いものを食えってね。ああ、旨《うま》いねぇこの心太《ところてん》は。俺の打つ蕎麦よりよっぽど旨い」

澪は自分の分を器に入れて、同じく酢醤油で食べてみた。口に含むとひんやり、つるん。噛んでみると歯を押し返してくる食感が堪《たま》らない。思った通り、鼻に抜ける磯の香りが酢と醤油の味に合っていた。

「美味しい」

澪も思わず声に出して言った。

「何なんだよ、この店は」

客が呆れている。

「蕎麦屋のくせに、店主も奉公人もそんなものを旨い、旨いと。こっちまで食いたくなるじゃねえか。幸い、まだ残ってるみたいだし」

「だめです、私、お代りしますから」

澪が言って、笊を手に取り素早く後ろに隠す。その仕草に種市が、げほげほとむせた。

その夜。

店を閉める間際、引き戸を開けて躊躇《ためら》いがちに中を覗く者があった。

「まあ、源斉先生」

澪が意外そうに声を上げる。酒を飲まない源斉が、こんな時間につる家に来ることは珍しかった。

「夕飯を食べそびれまして。もう店じまいですか？」

「先生なら大歓迎だ。お澪坊、もう閉めちまってくれ」

調理場から顔を出して、種市が嬉しそうに言った。どうやら下戸の源斉相手に、自分が一杯やりたいらしいのだ。澪はくすくす笑いながら店じまいにかかった。

「心太？　澪さんが？」

蕎麦をたぐる手を止めて、源斉が店主を見る。種市が自慢げに、へえ、と頷いて見せた。

「それがもう、旨いのなんの。まず香り。磯の匂いがするんでさあ。それと歯ごたえ。言っちゃあ何だが昨日の心太なんかとは比べ物にならねぇんですよ」

しこしこのぷりぷりで、という種市の表現に、源斉は思わず身を乗り出した。

「食べてみたいなあ。まだ残っていますか？」

種市と澪とが同時に、両手を合わせて詫びてみせる。仲良くお代りして、四人前を平らげた主人と奉公人だった。源斉は、恨めしそうに二人を見た。

「話だけとは何とも残念な。それでなくとも江戸っ子は心太が好きなのですから」

「いやあ、源斉先生、実は俺もあんなに旨い心太なら、毎日でも食いたいと思いましたよ」

店で出してみるかなあ、と独り言のように呟く種市に、澪と源斉が驚く。

「いや、ご店主、いくらなんでも蕎麦屋で心太《ところてん》は……」

「そうですよ、旦那さん。それでなくても鰹田麩《かつおでんぶ》のことで佃煮《つくだに》屋だと思い込んでるひとも居るんですから。これで心太まで手を広げたら、本業を忘れられてしまいます」

種市は、真面目《まじめ》な顔で、手にした盃を床几へ置いた。

「俺も、お澪坊の作る心太があそこまで旨くなけりゃあ、そんなことは思いもしなかった。あの味を賄いに留めておくのは、あまりにも勿体《もったい》ねぇよ」

「それほどまでに旨いのですか……」

ううむ、と源斉が呻《うめ》いた。

「私も猛烈に食べてみたくなりました」

「どうだろうな、お澪坊。客足の落ちる昼八つ（午後二時）あたりから、それこそ『おやつ』に出してみるってのは。そうさな、十食かぎりで」

でも、と澪が両の眉を下げながら言う。

「何よりも初物が大好きなのが江戸っ子。もう葉月に入っているのに心太だなんて、笑われませんか？」

大坂では初物に飛びつくことをしない。その季節の旬の物を何よりも尊ぶ。旬のものは美味しく、しかも安価だからだ。江戸へ来て、恐ろしいまでに高価な初鰹に肝を潰し、それを買い求める者の多さに驚いた澪である。

なるほど一理あります、と源斉が考え込む。

「だったら、こうしたらどうだ」

思案顔だった種市が、ぽんと手を打った。

「ずるずる出すのは止めて期限を決める、ってのは。例えば、そうさな、八月十五日まで」

「ああ、なるほど十五夜のお月見までですね。それは良い」

源斉が言って、澪に向き直った。

「江戸っ子は、初物にも弱いけれど、期限を設けられるのにも弱いのですよ。まあ、試して御覧なさい。きっと当たりますから」

つる家では、翌々日の八つ刻から、澪の作った心太を出すことになった。誰もが「秋に心太?」と首を傾げる中、最初に注文したのは、先日、心太を食べ損ねた件《くだん》の客だった。

「あれから気になって気になって。とにかく食わしてもらうぜ」

男は、澪の運んで来た心太に手を伸ばす。今時分に心太だなんて、と白い目で見ている客たちの前で、器用に一本箸を使って、口に運ぶ。途端に、驚愕した表情になった。

「こいつは旨い。香りから歯ごたえから他所《よそ》のとは全然違う」

言うなり、夢中で食べ出した男の姿に、周囲の客がごくりと喉を鳴らした。

「こっちにも心太《ところてん》を」

「俺にも一つ頼む」

次々と声が上がり、用意していた十食は、瞬く間に売り切れた。

「親父、どうして十食ぽっちなんだよ」

客からの苦情に、種市がにやにやと笑って応えた。

「うちは蕎麦屋なんでね。心太はちょっとしたお遊びってやつでさぁ」

運良く心太にありついた客も、そうでない客も、帰り際には澪に「明日も必ず作ってくれ」と念を押す始末だった。そんな客たちに種市は「昼八つから売り切れまで、期間は十五夜まで。それで蕎麦屋の季節外れのお遊びは終いだよ」と声高に宣伝していた。

夜。種市に暇《いとま》を言って外に出ると、夜風が肌を刺した。こんな寒さだと、心太は如何《いか》にも季節外れ。売る時間と日にちとを限ったのは賢明だなあ、と澪は改めて種市の商いの知恵に感心する。限られた日数なのだから、明日も飛びきり美味しい心太を作ろう。そう心決めして、澪は単衣の腕を交互にさすりながら夜道を急いだ。

金沢町に差し掛かると、向こうから提灯《ちょうちん》が揺れながら向かって来るのが見えた。

「澪ちゃんかい？」

暗がりの中から名を呼ばれる。聞きなれたおりょうの声だが、妙な緊迫感があった。はい、という澪の返事を聞くと、おりょうは太い身体で転がるように駆け寄って、その腕を掴む。

「ご寮さんが大変なんだよ。胸を押さえて苦しがって。旅籠町の源斉先生に今、来てもらってる。あたしゃ、あんたを呼」

おりょうの言葉が終わらないうちに、澪は土を蹴って駆け出した。

内職の縫物に、澪の居ない間の家事。心の臓が強い方ではないのに、無理をさせ過ぎたのだ。芳に何かあったら、自分も生きては行けない。澪は己を責めながら、裏店の路地に駆け込む。

「ああ、澪ちゃんが帰って来た」

戸口の前で集まっていたおかみさん連中が、ほっとしたように声を上げて出迎える。澪が中へ駆け込むと、丁度、源斉が診察を終えて盥で手を濯いでいるところだった。下駄を脱ぐのももどかしく、芳の枕元へと急ぐ。芳は横たわって目を閉じ、眠っているようだった。

「源斉先生」

澪が身を震わせながら、源斉ににじり寄る。源斉は、大丈夫ですよ、と温かな声で言って、澪に頷いてみせた。

「急に脈が早くなって、本人も驚かれたのでしょう。大事ないので、このまま休ませてあげてください」

戸口の外側で様子を見守っていたおかみさんたちの間から、ほっと安堵の息が漏れる。

それでも震えが止まらない澪を見て、源斉はさらにこう続けた。

「脈の乱れは、実はそう珍しいことではないのです。もちろん、根本に重い病が隠れていることもありますが、ご寮さんの場合はそうではない。恐らく年齢と、それに何か心配事があって思い詰めておられたのでしょう」

佐兵衛のことだ。

澪は芳の血の気の失せた寝顔を見つめて、そっと唇を噛んだ。江戸へ来て二度の夏を過ごしても、佐兵衛の消息は杳《よう》として知れなかった。否、澪が忙しさに紛れて、探しあぐねていたのだ。ご寮さんに申し訳のないことを、と澪は肩を落とした。

「念のため、明日も診《み》に来ましょう。では私はこれで」

源斉の声に、澪は慌てて顔を上げた。さっと土間に降りて医者の履き物を揃える。

「澪ちゃん、聞いたよ。良かったねえ」

ぜいぜいと息を切らせたおりょうが、戸口を広く開けながら言った。

「ご寮さんのことは私が見ているから、先生をお送りしたら」

ほら提灯、と差し出されたものを、澪はありがたく受け取った。

「済みません、お借りします」

「さあさ、みんな。聞いての通りさ。行灯《あんどん》を持って、帰った帰った」

おりょうが声を張るのを聞いて初めて澪は、部屋中に置かれた幾つもの灯《あか》りに気付いた。診察をするのに暗くないように、と裏店のおかみさんたちが各々の家の行灯を持ち寄ってくれていたのだ。口を開くと泣いてしまいそうで、澪は唇をへの字に固く結んだまま、おりょうたちに向って深く頭を下げた。

外へ出ると、四つ(午後十時)の鐘が鳴り終わるところだった。表通りを歩きながら、源斉はしみじみと言った。

「良い人ばかりですね、あそこは」

提灯を手に先を行く澪は、しかし返事をしなかった。さらに話しかけようとした源斉だが、娘が必死で泣くまいとしていることに気付くと、ふっと目元を緩めて黙った。

じきに木戸、という場所まで来て、ふいに澪が立ち止まって振り向いた。

「源斉先生、本当にご寮さんは大事ないのでしょうか？　去年もお稲荷の境内で……」

昨年の冬、芳は化け物稲荷で倒れ、源斉に救ってもらったのだ。澪の不安はもっともだ、と源斉は頷いてみせた。

「心の臓が悪い、というのは大坂に居た頃の医師の見立てでしょうか？」

「いえ、天満一兆庵の旦那さんが亡くなった後、ご寮さんの具合が悪くなって、須田町《すだちょう》のお医者さまに診て頂いた時に」

年老いた横柄な医者で、ご大層に従者を二人連れてやって来た。それこそ一度限りの往診で法外な薬礼をもぎ取られたのだ。

そうですか、と若い医師は言い、提灯に目を落とした。

「私の見立ては少し違います。心の臓そのものに病のもとがあるのではなく、むしろ気力の衰えが脈の乱れなどの症状を引き起こしているのではないのか、と……。もしやご寮さんは食が細く、夜の眠りも浅いのではありませんか?」

ええ、と澪は頷いた。嘉兵衛を失った当初を思えば、今は随分と元気になった。けれど、やはり大坂に居た頃に比べると食も細く、夜もあまり眠れていない様子なのだ。

「やはり。だとすれば、体質を変えることで、きっとお元気になられますよ」

「本当ですか、源斉先生」

「ええ。まずはご寮さんにしっかりと食べてもらうことです」

それを聞いて、澪の両の眉が下がった。仮にも料理の道に身を置いていながら、最も身近なひとに満足に食べて貰えない、ということが何とも情けない思いだった。

「あ、違う、違う」

澪の落ち込みを悟って、源斉は慌てて首を振った。

「澪さんのことだ、ちゃんとご寮さんの口に合う美味しいものを作っておられると思います。ただ、医者の立場から言えば、食べ物には薬という側面もあるのです」

「食べ物が、薬？」

澪は大きく目を見開いた。薬と言うのは、苦いもの。旨み、という味覚からは最も遠いところにあるのではないのか。

そんな澪の戸惑いを読み取ったかのように、源斉が、大きく頷いた。

「そうです、薬です。例えば百合根《ゆりね》。百合根は不安を鎮め、よく眠れるようにしてくれます。夕餉に粥《かゆ》に入れて食すと、とても良い。百合根を乾燥させたものは『百合《びゃくごう》』と言って、昔から薬として用いられているのですよ」

澪の目が零れ落ちそうになっているのを見て、源斉は、さらに続ける。

「胡麻《ごま》、それも黒胡麻は滋養強壮に優れていますし、ほうれん草は血を増やします。そうだ、今の季節なら不忍池の蓮《はす》が実を飛ばしているでしょう。蓮の実は心の臓の働きを助け、動悸《どうき》を抑えるのです。お粥にして食べてもらってください。それだけで随分違います」

澪は思うように声も出ないまま、源斉の目を見つめていた。これまで、美味しいものを、と心掛けて調理場なり台所なりに立つことはあっても、その食材が身体の悪いところを治す、という意識は持ったことがなかったのだ。

「口から摂るものだけが、人の身体を作るのです。澪さんがついているのだ、ご寮さんはきっとお元気になられますよ」

木戸番が、掛け行灯の下で足踏みをして、こちらを見ていた。木戸はとうに閉じているのだが、源斉のために潜《くぐ》り戸を開けようと待っているのだ。それに気付いた源斉が、では、と澪に告げて、大股で歩き出した。澪は慌てて追い駆けて、おりょうから借りた提灯を手渡す。

揺れながら遠ざかる提灯の明かりを木戸越しに見送って、澪は暫くその場に佇んでいた。口から摂るものだけが、人の身体を作る——源斉のこの言葉は、澪の胸に深く刻まれたのだった。

「これは？」

芳が、椀の中を覗いて首を傾げている。

「蓮の実のお粥です。今朝早く、太一ちゃんに手伝ってもらって不忍池で取って来ました」

鼻の頭に泥をつけたまま、澪が袂《たもと》から黒い実と緑の実とを取り出してみせた。緑色のものは未成熟で柔らかく、薄皮を剝いて生で食べるとほこほこと柔らかい。熟したら外皮が黒く固くなり、石で割らないと中身を取り出せなくなる。熟した方を使った、と聞かされて、芳は恐々、白くてころんと丸い実を匙で掬ってみた。四十九年生きて来て、生まれて初めて蓮の実なるものを食べるのである。そっと口に入れ、慎重に嚙み締める。

「美味しい」

芳は意外そうに呟いて、澪を見た。蓮といえば蓮根《れんこん》しか食べたことが無かったが、蓮の実はそれとは全く違う。どちらかと言えば栗に近い味がして、粥にすると何とも美味しい。ついつい、食が進んだ。

良かった、と澪が嬉しそうに目を細める。

「ご寮さん、不忍池の蓮を全部、食べてしまいましょう。あれだけあれば、食べ甲斐《がい》がありますよ」

澪の言葉に、芳はころころと声を上げて笑った。そして自分を見つめる澪の眼差しに気付くと、ふいに笑いを納めて、まじまじと澪を見つめ返した。

「澪」

片手を差し伸べて、澪の頰に触れる。

「えらい心配かけてしもた。堪忍やで」

「ご寮さん」

「あないに小さかった子ぉが、こない大きいなって。覚えてるか、あんたが十二の頃や。天満一兆庵の味が変わった、ことに汁物が不味《まず》い、と大騒ぎになったことがあったなあ」

はい、と澪は頷いてみせた。

澪が天満一兆庵に女衆として奉公して四年目のこと。それまでの手法と何一つ変えていないはずが、一兆庵の料理の味がいきなり落ちて、店を揺るがす騒動となった。

「主の嘉兵衛にさえその原因がわからず、追い詰められていた時やった。まだ子供のあんたが、『井戸の水の味が変わった』と言い出したんや。店の者、誰も気づかなかった僅《わず》かな変化に、澪だけが気が付いた」

調べてみると、名水で知られていた店の井戸の水質が僅かに変化していたのだ。その味覚の鋭さに嘉兵衛が驚愕し、自ら澪を板場へ入れることを決めたのだ。

「女は料理人にはなられへん──私はそう言うて反対したけれど、嘉兵衛は、『どない努力したかて、天性の味覚は得られへん。あれは仕込み甲斐がある』言うて譲らんかった」

「はい。旦那さんには私の生きる道を拓いて頂きました」

板場に女が入るなど、あってはならないことだった。店としての格を下げる、と内からの反発もあった。しかし嘉兵衛は取り合わなかった。板場の追い回しから始めて五年。いよいよこれから、という時になって店を失い、嘉兵衛を失ったのだ。もっともっと学んでおきたかった、と澪はそう言って唇を噛んだ。

そやろか、と芳は低い声で呟く。

「料理の道に引きずり込まれたばっかりに、嘉兵衛から天満一兆庵の再建を託され、私を養いながら佐兵衛を探す役目を背負わされた……なんと酷いことやろか。女にとって一生のうちの花の季節を一兆庵の犠牲になって」

堪忍やで、という芳の双眸が涙で潤んでいた。

──何か心配事があって思い詰めておられたのでしょう

ふいに芳を診察した際の源斉の言葉が蘇る。

ああもしや、と澪は思う。ご寮さんは若旦那さんのことではなく、私の身を案じてそんな風に思い詰めておられたのではないか。

「ご寮さん、それは違います」

澪は畳に両手をつくと、身を乗り出した。

「味覚は親が私に残してくれた財産。私が料理の道に入ったんは、それを生かしたかったからで、旦那さんに引きずり込まれたわけやおまへん」

抜けかけていた上方訛りで、澪は芳に懸命に訴える。

母わかは倹しい暮らし向きの中にあって、旬の食材を取り入れた手を抜かない料理を作った。春は蕗《ふき》と若布《わかめ》の炊き合わせ、夏は冬瓜《とうがん》の葛《くず》ひき、秋は小芋の煮ころがし、冬は風呂吹き大根、等々──それを父伊助の塗った漆器と箸とで食べさせてくれた。父の漆と、母の料理とが澪の舌を育てたのだ。

「この道で花を咲かせることが、私があの水害で親の命と引き換えに生き残った理由のように思えてならんのだす。一兆庵の再建も若旦那《わかだん》さんのことも、その道筋にあるだけのこと。決して犠牲になってるわけやおまへん」

澪の言葉に、芳は顔を覆って身を震わせた。長く自らを責め苛《さいな》んでいただろうその胸中を思い、澪は切なくてならない。

「ご寮さんがそないに泣かはったら、私まで泣かなあきません。そしたらますますこの眉が下がって、嫁の貰い手が無《の》うなります」

わざと明るい口調で言って、澪は指で両の眉を思いきり下げてみせる。芳がそっとそれを覗き見て、泣き笑いの顔になった。


つる家の「お遊び」が終わる、八月十五日。その日は、店を開ける前から客が並び、八つ時には床几に座り切れない客が表まで溢れた。

「親父、この盛況で十食てな吝嗇《けち》なことは言いっこなしだぜ」

客に言われて、種市がどんと胸を叩く。

「短《みじけ》ぇ間だったが、蕎麦屋のお遊びに付き合ってもらったお礼だよ。今日はたっぷり用意したから食ってっておくんな」

途端にわっと歓声が上がった。初物に拘《こだわ》る一方で、心太《ところてん》が心底大好きな江戸っ子なのである。

夜の客までもが、酒の肴に心太を注文した。そのために店じまいの時間まで、心太を天突きで突きに突いた澪と種市だった。

「俺はもう、心太を見るのも嫌になっちまったよぅ」

最後の客を送り出すと、種市がそう言って長床几に座り込んだ。旦那さん、それはあんまりですよ、と澪が両の眉を下げた時。

こんばんは、と源斉が遠慮がちに入って来た。いらっしゃい、と種市が嬉しそうに立ち上がって迎える。

「今日が心太を出す最後の日だったのを思い出して。まだ残っていますか？」

「何てこった、源斉先生まで心太目当てですかい」

へなへなと床几に座り直した種市に代わって、澪が「今、用意しますね」と答える。

「外は月が見事ですよ。月見をしながら食べたいのですが」

源斉が言うと、そりゃあ良い、と種市が帳場に置いてある短い床几を片手で担いで表へ出す。丁度三人が腰掛けられる幅だった。

「お澪坊、お前さんの分も持って来な。それと俺に熱いのを」

澪は調理場から、はい、と笑いながら答えた。

中天に、青白く丸い月が浮かんでいる。冴え冴えとした光が、辺りを清めたように美しく幻想的に見せていた。

盆に載せたものを手に表へ出た澪は、吸い込んだ息を吐き出せないまま、月に見とれた。

「お澪坊、早く持って来てくれよ。待ち切れねぇよぅ」

種市が言い、ちろりだけを取ってさっさと床几に座る。澪は器が二つ載った盆を源斉の横へ置き、自分も浅く腰かけた。そうして心太《ところてん》に酢醤油を回しかけようとして、源斉に制止された。

「今夜はこれで食べてみたいのです」

源斉は懐から三方を折り畳んだ懐紙を取り出すと、そっと中を開いた。まあ、と澪が声を洩らす。「唐三盆《とうさんぼん》」と呼ばれる、目玉が飛び出すほど高価な、真っ白な砂糖だった。

「今日、吉原の翁屋の楼主の診察に呼ばれまして。お相伴に預かったものを持ち帰ったのです。ここでこうして食べたくてね」

澪を見て、にこにこと笑うと、源斉は二つの心太に砂糖をさらさらと振りかけた。

「花魁《おいらん》たちはこうして食べるのだそうです。磯の香りとはそぐわないかも知れないけれど、目先が変わって良いでしょう？」

澪は器を取って、目の高さに持ち上げてみた。透明な心太の上に乗った白い砂糖が、青白い月の光に照らされて雪のように映った。

「こいつはまるで雪ですね、日にちこそずれちまったが、まさに『八朔の雪』だ」

脇から源斉の器を覗き込んで、種市が溜め息交じりに言った。

八朔の雪？　と首を傾げている澪に、源斉がふっと頬を緩めた。

「八月朔日《ついたち》に吉原の遊女たちが白無垢を着ている情景を『八朔の雪』と言うのです。残暑厳しい季節に雪を思わせる風情から、そう呼ぶのでしょうね」

なるほど、と澪は、うっとりと月に翳《かざ》した心太の砂糖を眺めた。ふと、幼い日、野江の家の台所で見た義山の器を思い出す。八つの野江がその白い手を差し伸べて、美しい義山の器を月に翳す光景を思い描くと、胸の奥が切なさで痛んだ。そんな思いを察したのか、源斉が丸い月を見上げて、ぽつんと言った。

「澪さんの幼馴染みの野江さんも、きっと、今頃どこかでこの月を見ているはずですよ」

「お澪坊、俺もそう思うよ」

種市が、しみじみと言い添えた。

そう、野江は旭日昇天なのだ。あの水害で家族を、店を、何もかもを失ったけれど、それを埋めて余りある幸福に巡りあったに違いない。何処にいるかはわからなくとも、きっと幸せな暮らしの中で、今、同じこの月を見上げていてくれる――そう信じよう。

澪は青い月に見入ったまま、こっくりと頷いてみせた。

初星——とろとろ茶碗蒸し

つる家の二階の内所。

括《くく》り枕《まくら》に顔を埋《うず》めて、種市がうんうんと唸《うな》り声を洩らしている。その腰を丁寧に診《み》ていた源斉が、難しい顔になった。おろおろと脇から覗《のぞ》き見ていた澪の両の眉《まゆ》が下がる。

「源斉先生、俺は一体どうなっちまうんで？」

種市の問いかけに、少し様子をみましょう、と短く答えて源斉は澪の用意した盥《たらい》の水で手を濯《すす》いだ。

「澪さん、用足しに使えるような壺《つぼ》を探して、ここに据えてください」

つる家の後架《こうか》は店の外にある。用を足すのに階段を上り下りするのは、今の種市には無理なのだ。澪が、はい、と頷《うなず》くと、種市はぎょっと顔を上げて目を剝《む》いた。

「せ、先生、勘弁してくださいよ。俺はそんな重病人じゃ無え。小便くらい後架で」

言い終える前に、痛たたた、と括り枕に突っ伏した種市である。

「源斉先生、旦那《だんな》さんの腰はそんなに悪いのですか？」

源斉を送りがてら階下へ降りた澪は、両の眉をさげたまま小声で問うた。

今朝、つる家の調理場で蹲《うずくま》っている店主を見つけた。足元に落ちた笊《ざる》を拾い上げようとしたら嫌な音で腰が鳴ったという。何とか二階へ運んで休ませ、大慌てで源斉を呼びに行った。ただ、そんな風に腰を痛めるひとは多いし、さほど深刻に考えていなかったのだ。

源斉はちらりと視線を階上に向けて、やはり小声で答える。

「腰を変に捻《ひね》っただけかと思ったのですが、どうやらそうではないかも知れない」

さっと顔色を変えた澪に、源斉は、

「だからと言ってそれが命取りになる、ということではないので、あまり心配し過ぎないでください」

と宥《なだ》めるように言った。これまで大切なひとを多く失っている澪の怯《おび》えを、若い医師は見抜いていたのだった。

源斉を送り出した後、澪は落ち着かない気持ちのまま、調理場に立って種市のために食事を作り始めた。油揚げと青菜の煮びたし、それに煎《い》り玉子をつけることに決め、流しで青菜を洗う。根元の泥を丁寧に洗い、笊に取ろうとして、うっかり手が滑った。弾みで流しの下に転がった笊を身を屈《かが》めて取り上げる。

「痛っ」

身を起こす際、流し台の角でしたたか頭を打って、澪は思わず呻《うめ》いてその場に蹲った。目から火花が出る、というのはこのことか。手を頭にやると、大きな瘤《こぶ》になっていた。澪は腹立ち紛れに笊を放《ほう》り出すと、涙目のまま、じんじんと疼《うず》く瘤に両手を重ねてあてがう。

大体、流しが低過ぎるのだ。

澪は瘤を押えながら、恨めしそうに流しに目をやった。大坂から移って一年半たらず。その間に幾度、こうして流しで頭をぶつけたか知れない。己の迂闊《うかつ》さは棚に上げて、その原因を江戸の低い流しのせいにしている澪だった。

種市の腰の具合は、翌日も翌々日も思わしくなく、つる家は商いを休むより無かった。店主の身の周りの世話を終えると、まだ陽《ひ》のあるうちに金沢町の裏店《うらだな》に帰る日が続く。

「太一ちゃん、ただいま」

戸口にしゃがみ込んで地面に絵を描いて遊んでいる太一に声をかけ、その小さな頭をぐりぐりと撫《な》でる。太一は無言のまま目を細めて、陽だまりの猫のように笑った。

「澪ちゃんかい？」

ちょっと入って来ておくれな、とおりょうの声がする。澪は、はい、と引き戸に手を掛けた。

裏店の作りはどこも同じで、入ってすぐが狭い土間。土間には竈《かまど》と流しが据えてある。一段あがって板張りの居間。暮らし向きに余裕がある者は全面に畳を敷き詰めるが、大抵、手前は板張りのままである。その板張りに座って葱《ねぎ》を刻んでいたおりょうが、顔を上げた。

「そこに小鉢があるだろ？　持って帰ってご寮《りょん》さんと食べとくれ」

板張りの隅に布巾《ふきん》がこんもりと置かれている。めくってみると、里芋の煮たものが小鉢に入っていた。味が滲《し》みた色をして、まだほこほこと温かい。ありがとうございます、と弾んだ声で礼を言って、澪は頭を下げた。

「丁度、持って行こうと思ってたのさ。けど立ったり座ったりが負担でねえ。助かったよ」

おりょうはでっぷりと肥えた身体《からだ》を揺すって笑った。

澪が不思議に思う光景の一つに、江戸のおかみさんたちの炊事姿がある。俎板《まないた》を板張りや畳に置いて、座ったまま調理するのだ。流しを使う際も座ったまま。江戸中の台所を覗き見たわけではないけれど、澪の知る限り、食べ物を商う店は別として、家庭では座って料理を作ることが一般的なようだった。澪を手こずらせる江戸の流しの低さも、このためなのだ。

流し台の作り自体は、江戸も上方《かみがた》も大差ない。四角い木箱に四本脚。隅の排水口から水が戸外に流れていく仕組みになっている。ただ、江戸では流し台の位置が、板張りと平行になるほど低かった。座っての調理に使い勝手が良いためだろう。

土間に立って料理することに馴染《なじ》んでいる澪にとって、座ったままでの調理姿は、やはりどうにも馴染めなかった。

首や背中が痛くならないのだろうか。

澪は首を傾《かし》げながら、外へ出た。

「澪、お帰り」

向かいの戸が開いて、芳がにこにこと顔を覗かせる。こちらも夕餉《ゆうげ》の仕度の最中だった。

源斉の忠告を守って、蓮《はす》の実や百合根《ゆりね》など身体に良いものを進んで摂取することで、徐々に元気になった芳である。肌の色つやもすこぶる良かった。

「ご寮さん、代わります」

芳に小鉢を渡すと、澪はきりりと襷《たすき》をかけ、身体を斜めにして流しの前に立った。流し台に薩摩芋《さつま》がごろりと転がっている。

「ご寮さん、このお芋さん、どうしましょう」

鉢を手に思案顔の芳に、澪が、それなら厚めに剝いた皮を使ってきんぴらにしましょう、と提案した。残る中身は明日、芋粥にすれば良い。澪は流しに前屈みになって、薩摩芋を
「芋粥《いもがゆ》でも、て思たんやけど、おりょうさんから小芋をもろてるし」

洗い始めた。家でもつる家でも、低い流しに向かっての立ち仕事では、使い勝手が良いとは言えなかった。

もしかしたら、と澪は手を止めて思う。種市の腰は、長い間の無理な姿勢が祟《たた》ったためではないのか、と。そう言えば、蕎麦《そば》打ちも板敷に座っての中腰だった。

今日も休むよ、と力なく言って肩を落とした店主を思い出して、澪は両の眉を下げた。

その話が種市から持ち出されたのは、つる家が店を休んで六日目のことだった。朝、澪がつる家へ行くと、源斉は既に診察を終えて帰った後だった。慌てて階段を駆け上がり、店主の様子を見に行く。種市がこちらに背を向けたまま、布団の上で半身を起こしてしょんぼりと肩を落としていた。その背中がいきなり老け込んだようで、澪は胸騒ぎを覚えた。

旦那さん、と小さな声で呼ぶと、澪は種市の脇へ両膝《りょうひざ》を揃《そろ》えて座った。種市は、澪から不自然に顔を逸らしたまま、声だけは明るく言った。

「お澪坊、俺はもう蕎麦打ちは無理なんだと。たまに手前が食う分を打つくらいは良いんだが、店をやっていくのは無理なんだそうな。さっき、源斉先生に釘《くぎ》を刺されちまった」

澪は、息を飲んだまま主《あるじ》の横顔を凝視する。

「蕎麦抜きで店を続けることも考えたんだが、それはもう、俺の仕事じゃあないように思う。もう歳も歳だ、潮時ってやつなのかも知れねぇな」

明日から芳との暮らしをどうしよう。

咄嗟《とっさ》にそう思い、澪は膝に置いた手を拳《こぶし》に握った。ふっと種市が澪を見る。その老いた目が真っ赤になっていることに気付き、澪ははっと胸を突かれた。

辛《つら》い決心に違いないのに。

何よりも種市には恩があるのに。

すかさず我が身を考えてしまったことを恥じて、澪は項垂《うなだ》れる。そんな奉公人の気持ちを見透かしたように、種市は手を伸ばして、澪の握った拳を、ぽんぽんと優しく叩《たた》いた。

「ついちゃあお澪坊、お前さんがこの店をやっていっちゃあくれまいか」

えっ、と澪が大きな目を零《こぼ》れ落ちそうなほどに見張った。

店をやれ、とはどういうことか。澪にここを買えるほどの甲斐性《かいしょう》など無いことくらい、種市は百も承知のはずだと思うのだが。

澪の瞳《ひとみ》に怯えの色を見たのか、種市は、ほろりと笑ってみせた。

「ここをお前さんに買ってくれとか継いでくれとか言うのじゃあねぇよ。お澪坊には、そうさな、雇われ店主をやってもらいたいんだ」

「雇われ店主？」

ああ、と種市は澪に頷いた。

「仕入れやら何やら、諸々の銭は俺が持つよ。蕎麦屋でなくて良いんだ、鰹田麩《かつおでんぶ》を専門に売るのも良し。お澪坊の好きなものを作って商いにすれば良いのさ。何もかも、好きにしてくれて構わねえ。ただ……」

種市は一旦《いったん》、言葉を切って、澪の顔を覗き込んだ。

「ただ、店の名前の『つる家』ってのだけは、そのままにしちゃあくれまいか」

十七で亡くなった愛娘《まなむすめ》に因《ちな》んだ屋号だった。名前が変われば、おつるの家が失われてしまうように感じる。この通りだ、と頭を下げる種市を、澪は慌てて止める。帰ってご寮さんに相談します、とその場では結論を出さないまま、種市を無理にも休ませた。

下に降りて、澪は店の長床几《ながしょうぎ》に力なく座り込む。あまりにも突然の話に、考えがまとまらない。つる家は種市の蕎麦があればこそ、客が足を運ぶのだ。自分の料理にその客を引き留《と》めるだけの力があるとは思えない。

土間から冷気が這《は》い上がって来て、澪は身を震わせる。明日からどうなって行くのだろう。心細くてならなかった。

今朝の菊ぅ　菊の花ぁ

えぇ菊ぅ　菊の花冠ぃ

店の表から、歌うような老女の声が響いて来て、澪は顔を上げる。そう言えば今日は長月《ながつき》九日、重陽《ちょうよう》だった。売り声に誘われるように立ち上がると、引き戸を開けて表へ出た。

晩秋の陽だまりの中を、背中に籠《かご》を負った菊花売りの老女が、ゆるゆると通り過ぎて行く。籠には摘み取られた菊の花冠が山と積まれていて、品の良いやわらかな菊の香が、ふんわりと澪を包み込んだ。

重陽は、別名を菊の節句とも言い、菊酒や菊飯で長寿を祈る他、この日に摘んだ菊花を干して枕にすると良い、と言われていた。

菊枕で休めば、種市の気も少しは晴れまいか。化け物稲荷《いなり》の境内にも野菊が群れているが、枕作りには到底足りないだろう。遠ざかっていく老女を呼びとめようとして、澪は躊《ため》躇《ら》った。これから暮らし向きがどうなるか知れないのだ。菊枕に逃げている場合ではない。諦《あきら》めて店へ入ろうとした時、菊花売りに客が近づくのが見えた。

薄汚れた藍縞木綿《あいじまもめん》の袷《あわせ》に、だらしなく縒《よ》れた朽葉色の帯。如何《いか》にも懐の寂しそうな形をした男が、老女に笑顔を向けている。その顔を見た途端、澪は心の臓が、どくんと跳ね上がるほど驚いた。

男は袂《たもと》から銭を取り出して老女に渡し、籠の中から形の良い菊花をひとつ選ぶ。両眼《りょうめ》を細めて匂《にお》いを嗅《か》ぎ、満足そうに頷いた。

少し痩《や》せたような、その面差し。

澪は、両膝ががくがくと音を立てそうなほど震えるのを抑えられない。思わず引き戸を摑《つか》んで身体を支える。その時、男がふっと視線をこちらに投げた。

「よう、下がり眉」

その懐かしい声を聞いた途端、澪は両手で顔を覆って、その場に蹲った。おい、と小松原の慌てた声と、駆け寄る足音が聞こえた。

「雨は降っちゃいないぜ」

間の抜けたことを言う男に、澪はくしゃくしゃになった顔を上げた。

「おやおや、そんな可愛《かわい》い娘を泣かせて。旦那も良い歳をして隅に置けないねえ」

歯の無い口で笑ってみせて、菊花売りは小松原の落とした花を拾い上げると、ゆっくりと近付いて澪の膝に置いた。

「娘さん、惚《ほ》れた男を落としたいなら、そんな色気の無い泣き方じゃあ駄目だよ」

老女の忠告に、澪は、違うんです、と首を振ってみせた。

「死んだお父っつぁんを思い出したんです」

澪の返答に、菊花売りは、

「お父っつぁんかい、こりゃとんだ色男だ。あっはっは」

と声を上げて笑った。小松原が情けなさそうに頭を掻《か》いた。

長床几に置いたひとつきりの菊花が、控え目な芳香を放っている。澪は菊花を挟んで小松原と並んで座り、辛抱強く男の言葉を待っていた。開け放った戸口から、長い陽ざしが差し込んで、店の中が明るい。男の沈黙があまりに長く、澪は相談事を持ちかけたことが急に恥ずかしくなった。そっと窺《うかが》うように男の横顔を見る。

「まあ」

思わず声が洩れた。

小松原は腕を組んだまま、こっくりこっくりと気持ち良さそうに船を漕《こ》いでいたのだ。

「小松原さま、起きてください」

澪が、手を口に添えて声を張った。

「あんまりです。ひとがこんなに悩んでいることなのに」

男はぱっと眼を開け、首を捻って澪ににやりと笑ってみせた。それから、ゆっくりと立って両腕を上げ、大きく伸びをする。

「ああ、よく寝た」

今にも戸口から出て行きそうな素振りの男の袖《そで》を、澪は咄嗟に摑んだ。

「小松原さま、私、どうしたら」

「さあな、そいつはお前が自分で決めることだろうよ」

素っ気ない物言いに、澪の両の眉が下がる。その下がりっぷりが心を捉えたのか、小松原はくっと笑った。

「仕方ない、親父《おやじ》と慕われたことだし、答えてやるか」

袖を摑んでいる娘の指を解《ほど》くと、腰を落として澪の目線まで屈んだ。

「道はひとつだ」

相手の瞳《ひとみ》に、不安そうな己の顔が映るのを、澪は一心に見つめている。

「種市がその気になりゃあ、腕の立つ蕎麦職人を雇えば済むだけの話。お前にどんな商いをしても良いだの、つる家の名前を残せだのと頭を下げる必要が何処《どこ》にあるんだ」

言われて初めて、澪はそのことに気付く。目を剝いたままの娘に、小松原は苦笑した。

「お澪坊の身の立つように――ここの親父はそれしか考えて無い。その思いに報いたい、と思うなら、答えはおのずと出るだろう」

「でも、失敗したら」

否、むしろ失敗するに決まっているのだ。澪は半分べそをかいていた。

「種市はそれも覚悟の上だろうよ」

さらりと言って、小松原は腰を伸ばした。陽の溢《あふ》れる戸口へと歩み、ふっと足を止める。

「江戸っ子は諦めの良さが身上だが、それを見習うなよ。あれこれと考え出せば、道は枝分かれする一方だ。良いか、道はひとつきり。それを忘れるな」

そう言い終えて足早に出て行った男を、澪は戸口からそっと見送った。遠ざかる小松原の背中に呟《つぶや》く。道はひとつ、と。

つる家の暖簾《のれん》を守り、繁盛させること。

しかしそれでは天満一兆庵はどうなるのか。嘉兵衛の願いは、芳の夢は……。色々と考えそうになるのを、澪はぐっと堪《こら》える。

小松原の言う通りなのだ。あれこれ考えれば道は枝分かれしていく。まずは種市から託されたものをきちんと守り育てて行こう。それがゆくゆくは天満一兆庵へと繫《つな》がることと信じよう。

そうだ、道はひとつきりなのだ。

揺れ動いていた心がぴたりと定まり、澪は秋晴れの空を仰いだ。

「そうかい、受けてくれるのかい」

布団の上に無理にも座って、種市がほっと安堵《あんど》の息を吐く。それから澪の横に控えている芳の方へ向き直った。

「ご寮さんもお許し頂けるので？」

はい、と芳は両手を畳につくと、種市に向かって深く頭を下げる。

「難儀なんは重々承知だす。けれど、この娘に賭《か》けよう思てくれはった旦那さんのお気持ちが有り難うて。また、それに応《こた》えたい、いう澪の気持ちも大事にしたいと思いました」

昨夜、澪が相談した折りには、芳は即座には賛成しなかった。仮に失敗すれば老境の種市には何より辛いことになる。一晩、思い悩み、朝になって漸《ようや》く心を決めた芳であった。そんな芳の思いを汲《く》み取ったのだろう、種市は鼻を啜《すす》って、うんうん、と頷いた。

「で、お澪坊、何を売りにするつもりだ」

「汁物をひと品。旬のお菜をひと品。ご飯も旬の具を合わせた炊き込みにします。まずは毎日、日替わりでこの三品を作り、お客さんに選んで召し上がって頂こうと思います」

白飯はやはり湯気の立つうちが旨《うま》い。しかし、ひとりで切り盛りすることを考えると、幾度も飯を炊くのは現実的ではない。かて飯にすることで、冷めても美味《おい》しく食べられる。

多様な注文には応じられない代わり、品数は少なくとも吟味した美味しい料理を提供することで応えたい。澪はそう考えていた。

「酒はどうする？　出すのかい？」

「出しません。料理を気に入って通ってくださるお客さんが出来た時には考えたいと思います」

なるほど、と種市が膝をぽんと叩いた。

「小さく始めて大きく育てて行くってわけだな。お澪坊らしい。江戸一番の料理屋『登龍《とりゅう》楼《ろう》』も、もとは煮売り屋だったと聞いてるしな。俺は賛成だよ、存分にやってみてくんな」

種市の強い要望で、新生つる家は、その翌日に店を開けることになった。慌ただしい展開に慄《おのの》きながらも、澪は何とか客に喜んでもらえる料理を、と腐心した。

初日。

栗飯、秋鯖《さば》の割り山椒《さんしょ》煮、茸《きのこ》汁。

旬の食材が豊富にあるこの季節にあって、老若男女を問わずに人気のある料理、それも家で作るものとははっきりと違いの出る献立を選んだつもりの澪であった。

「お澪坊、俺だって運ぶのくらい出来るぜ」

「大丈夫ですから。旦那さんは休んでいらしてください」

何かと手伝いたがる種市を内所へ追い立てて、澪は準備万端を整えると、八日ぶりに暖簾を店の表に出した。小半刻も立たないうち、

「一体どうしてたんだ。潰《つぶ》れちまったのかと心配したんだぜ」

と、馴染みの客が次から次に暖簾を潜《くぐ》って入って来た。掛けだの盛りだのと注文の声が上がる。

「あい済みません。これからはお蕎麦をお出しできません」

「蕎麦屋が蕎麦を出さないってのは一体、どういう料簡だ。俺はここの親父の打つ蕎麦を食いたいから来てるんだぜ」

客に嚙《か》みつかれておろおろする澪を見かねて、調理場に隠れていた種市が飛び出した。あらましの事情を説明すると、客たちが難しい顔になる。ひとりが立ち上がって店を出て行くと、ぞろぞろと後に続いた。

「待ってくんな。とにかく一度、食ってみちゃあくれまいか」

種市の懇願は最後の客によって、

「親父さん、あんたの打った蕎麦なら食いたいが、その小娘の作る上方料理は御免だぜ。悪いが、こっちも働いて稼いだ大事な銭で食いに来てるんだ」

と、あっさり切り捨てられたのだった。

つる家ではこれまでも夜の肴《さかな》は澪が受け持っており、実際、客からの受けも良かった。

しかし、それを評価して「ならば食べてみよう」と言う者は居なかった。客は澪ではなく、調理場に立つ種市にこそ信頼を置いていたのだ。

中には気の毒に思うのか、鰹田麩《かつおでんぶ》だけ買って帰る客もあったが、店じまいまで、種市と客との間で、概《おおむ》ね同じような遣《や》り取りが繰り返された。種市の蕎麦を知らない新規の客も、それを聞いて退散するばかりだ。結局、初日に澪の料理を注文する者は皆無だった。

二日目。

茸飯、茄子《なす》田楽、帆立汁。

この日、種市自ら店の前で客を引いたが、蕎麦が食えないとわかると誰も暖簾を潜ろうとはしなかった。源斉が昼と夜の二回、客として料理を食べに来た他は、ひとりの客もいないままだった。

残った飯は握って澪が持ち帰る。その量を見れば商いがどんな具合だったかが知れた。芳は何も聞かずに、二晩続きで握り飯を夜食として長屋中に配った。

そして三日目の早朝。

澪は縋《すが》る思いで、化け物稲荷の祠《ほこら》の前で手を合わせていた。

ここまで自分の作った料理が否定されるとは、正直思っていなかった。このままでは半月と経《た》たぬうちに暖簾を下ろさねばならないだろう。自分を見込んでくれた種市に、どれほどの痛手を負わせるか測り知れない。手を合わせながら澪はがたがたと震えていた。
ひとつきりの道が続くはずが、いきなり道そのものが消えている——そんな気さえした。
泣きだしそうな顔を上げ、神狐《しんこ》を見ると、例によってふっふと優しく笑っている。
——澪ちゃん、弱味噌《よわみそ》やなあ
野江の声でそう言われた気がした。
野江ちゃんならば、こんな時でも震えたりせず、胸を張って堂々としているはず。
澪は不安を振り切るように立ち上がり、神狐の前で胸を反らして、両腕を横に開いた。
深呼吸をひとつ。見上げれば、晴れやかな秋天が広がっている。
少し力が出て、澪は再度祠にお辞儀すると、化け物稲荷を後にした。同朋町まで戻った
時、煮売り屋の前で棒手振《ぼてふ》りの子供が店主らしい中年男に怒鳴られているのに出くわした。
「こんな猫跨《また》ぎを押しつけようってのか、この馬鹿野郎！」
猫跨ぎとは、猫さえも厭《いと》うほどに不味《まず》いということかしら、と澪は脇からそっと桶《おけ》の中
を覗き込んだ。目も眩《くら》みそうなほどぎらぎらと銀色に輝く肌に、真っ赤なえら。黒々と濡《ぬ》
れ光る眼。まあ、と澪は声を洩《も》らし、取り込み中の二人をよそに、桶の傍《そば》にしゃがみ込ん
で、しげしげとその魚を見た。馴染み深い魚なのに、江戸でこの時期に見かけるのは初め
てだった。腹の縞目がくっきりしているのも、背びれがぴんと張っているところも気に入
って、澪は思わず声を上げていた。

「済みません、この『猫跨ぎ』を分けて頂けませんか?」

妙な顔をする中年男を押し退《の》けて、へい、と棒手振りの子供が威勢よく返事をした。

信じがたいほどの安値で買えたその魚をぶら下げて、澪は大急ぎでつる家の調理場に入った。鮮度が落ちないうちに、手早く三枚に下ろして皮を引き、身を角切りにしたものをさっと湯通しして霜降りにした。それを醬油《しょうゆ》と酒と味醂《みりん》、それにたっぷりの千切り生姜《しょうが》で煮付ける。がたがたと震えるような怯えも、心細さも、こうして料理をしている時には澪を悩ませることはなかった。

味醂の照りと生姜の香りとで美味しそうに煮えているその一片を口に運ぶ。たちまち、うっとりと至福の表情になった。

「こんなに美味しいものを『猫跨ぎ』だなんて、江戸のひとは何て失礼な」

自分のことは棚に上げて、つくづくと呟く。

実は澪の手に入れた魚は、鰹であった。初夏ならば「初鰹」と呼ばれ、江戸中で持てはやされるものでありながら、秋の「戻り鰹」は、見向きもされない。しかし大坂ではむしろ、脂の乗った戻り鰹の方が好まれたし、澪もまた、味わい深いこちらの鰹を好んだ。

炊き上がったばかりの飯釜《めしがま》に、先の鰹を煮汁ごと入れて、米粒を練らないよう、ざっくりと全体に混ぜる。暫《しば》し蓋《ふた》をして蒸らしてから、飯碗《めしわん》に装って、仕上げに海苔《のり》を散らした。

「今日はまた一段と良い匂いじゃねぇか」

鼻をひくひくさせて調理場に顔を出した種市に、魚の正体は伏せて味を見てもらう。ひと口頬張《ほおば》ると、種市は、旨い、と瞠目《どうもく》した。しかし、もぐもぐと咀嚼《そしゃく》するうちに、その表情が複雑なものになる。

「はてな……。滅法旨いんだが、お澪坊、こいつは戻り鰹じゃあねぇのかい?」

両の眉を下げて澪が頷くと、主は、ううむ、と呻りながらも箸《はし》を動かし続けた。

「畜生め、猫跨ぎを旨いと思うなんざ、俺も焼きが回っちまったよぅ。お澪坊、お代りだ」

空の飯碗を差し出す種市に、澪は、安堵のあまり、大きく息を吐いた。

この鰹飯に、枝豆の東煮《あずまに》、豆腐と菊花の澄まし汁の三品で今日の献立としたが、時分どきになっても客はさっぱり来ない。種市が表で声を嗄《か》らして客を引いたが、鰹飯と聞くや否や、通行人は侮蔑《ぶべつ》の眼差《まなざ》しで足早に過ぎていくのだ。

澪は暖簾越しにその様子を唇を嚙んで見ていたが、調理場に戻ると、釜の中の鰹飯を小さく握った。口に入れて味わう。脂の乗った鰹に生姜が効いて、やはりとても美味しい。

澪は悔しかった。戻り鰹というだけで相手にもされないとは。心太《ところてん》だって初めは季節外れだと揶揄《やゆ》された。それがあれほどまでの人気を得たのだ。そうだ、本当に美味しいものは食べさえすれば、わかってもらえるはず。

澪は、大きな平皿を二枚並べると、ひと口で食べきれるよう俵型に鰹飯を握った。小ぶりの握り飯が並んだ平皿を両手に持つと、息を整えて、元気よく往来へ出た。

「さあさ、つる家の振る舞い飯ですよ、はてなの飯はいかが」

種市がぎょっとしたように澪を見る。澪は種市に軽く頷いてみせて、更に声を張った。

「はてなの飯、どうぞお味をみてください」

よく通る澪の声に、道ゆく人々が足を止め、はてなの飯、と首を捻っている。その澪の姿に、種市が、大きく頷いた。澪の意図を正しく理解したのだ。種市は澪に駆け寄り、平皿を一枚取り上げると、自分も声を張った。

「はてなの飯だよ、口にあったら、中で注文してくんな」

味見で飯を配るなど見たことも聞いたこともない通行人たちは、ざわざわと囁《ささや》き合いながら遠巻きに澪と種市を眺めている。その時、ひとりの上品な中年女が人垣を掻き分けて、前へ出て来た。

「はてなの飯、ひとつ味見をさせてくださいな」

あっ、と澪は思わず皿を取り落としそうになった。芳だったのである。澪のことが心配で、おそらくは店の前を行ったり来たりしていたのだろう。

「お代は？　お幾らですか？」

芳は、澄ました顔で問うた。

「いいえ、頂きません」

慌ててそう答える澪に、芳は、まあ、と驚いてみせる。

「本当にお代は要らないのですか？」

「ええ。お味を見て頂くだけですから」

野次馬が、二人の遣り取りを興味深そうに眺めている。芳は、では遠慮なく、と俵の握り飯をひとつ摘まんで口に入れた。目尻《めじり》にぎゅっと皺《しわ》を寄せ、満ち足りた表情で食べるさまは如何にも美味しそうで、見守る者がごくりと喉《のど》を鳴らす。芳は食べ終わると、

「とても美味しい。けれど、はてな、何の魚でしょうか」

と首を捻った。その隣りで大工の棟梁《とうりょう》らしい初老の男が、ぽんと手を打つ。

「なるほど、それで『はてなの飯』か」

洒落《しゃれ》た演出が人々の心を捉え、笑い声が起こった。見れば平皿の握り飯は如何にも旨そうだ。堪《たま》んねえや、と芳の後ろの若い男が平皿に手を伸ばす。それを皮切りに、わっと手が差し伸べられて、二つの皿はたちまち空になった。旨い、旨いの声が上がる中、澪は夢中で叫んだ。

「はてなの続きは、どうぞ店の中で」

種市も、澪に負けじと叫ぶ。

「中で飯を食って、謎《なぞ》解きをしてくんな」

もぐもぐと握り飯を頬張りながら、はてな、と首を傾げた者たちが、連なって、つる家

の暖簾を潜る。種市は腰が悪いのも忘れて、跳ねるように店に戻った。澪は雑踏の中で芳を探したが、見つけることが出来ないまま、種市に呼ばれて店へと駆け込んだ。

「上々、ってやつでさぁ」

熱い茶を手にした源斉が、右隣りの種市を見た。

「そうですか、では三日目の首尾は」

つる家の店の表に出した床几に腰掛け、熱い茶を手にした源斉が、右隣りの種市を見た。

「上々、ってやつでさぁ」

種市は晴れ晴れした声で応え、ちろりの酒を自分の盃《さかずき》に満たす。

あの後、店に押しかけた客たちは、はてなの飯の正体が戻り鰹と知っても腹を立てることなく、逆に店の趣向を讃《たた》えた。澪の鰹飯は瞬く間に売り切れたのだ。食べ損ねた客たちには明日、必ず同じものを用意することを約束した。

「馴染みの魚屋に明日はありったけの鰹を仕入れてくれるよう頼んだんですがね、この時期の鰹は安くて大助かりですよ」

「それは良かった」

源斉は左隣りの澪に笑ってみせた。

澪には案ずるところがあって、手放しで喜ぶには至らないのだが、源斉にそう言われて、ほっと笑顔になる。

「まったく、良い月夜だなあ」

種市が、盃を天へ翳《かざ》して感嘆の声を洩らす。

今夜は十三夜。天空には、丸みを帯びた優しい月が浮かんでいた。

先月十五夜の月を見た者は、必ず同じ場所でこの十三夜も見るべし、片月見はいけないと言われている。だから別段、約束したわけでもないのに、団子を手につる家を訪れた源斉と三人、こうして「後の月」を愛《め》でているのである。

明神下から上がって来る足音が聞こえた気がして、澪はそちらへ顔を向けた。青い月の光の下、痩せた体つきの男がこちらに向かって来るのが見えた。澪がはっと立ち上がる。

「何だ、店は閉めちまったのか」

男の声に、種市が腰を庇《かば》って立った。

「こいつは驚いた。小松原さまだ」

嬉しそうに言って、種市は小松原を迎える。

「もうお見限りかと思ってましたぜ」

「そっちこそ、半年ばかり無沙汰《ぶさた》をしたら、俺のことなんざ忘れちまったんじゃないのか」

小松原は言って、源斉に気付くと軽く会釈してみせた。源斉もこれに応える。初対面の二人だが、種市は敢《あ》えて紹介しない様子だ。

「小松原さま、こちらにお座りください。今、熱いのをお持ちします」

澪は弾んだ声で言って、店へ入った。

燗《かん》をつける間に、小鉢に枝豆の東煮を装う。枝豆を鞘《さや》ごと甘辛く煮たこの料理は、江戸に来て初めて知ったものだ。澪は鍋《なべ》に僅かに残っている枝豆を見て、深々と溜め息をついた。

幸い、今日は鰹飯に釣られて他の二品もよく出たし、殆《ほとん》どの客が器を舐《な》めたように綺麗《きれい》に平らげてもくれた。けれど、と澪は思う。東煮と澄まし汁の味に今ひとつ自信が持てないのだ。江戸好みに醤油も濃いものを使っているし、めりはりのついた味に仕上げた。それが逆に、大坂で育んだ澪の舌には、やはり何処か馴染めなかった。

「お澪坊」

種市が、源斉に背負われて調理場へ入って来た。

「俺ぁ、どうにも腰が痛んで敵《かな》わねえ。悪いが後を頼んでも良いかい？」

まあ、と澪は両の眉を下げて種市を見、次いで源斉を見た。

「大丈夫、大したことはありませんよ。安心して疲れがどっと出たのでしょう」

澪の不安を解くと、源斉は種市を背負ったまま階段を上って行く。澪も後を追って二階に上がり、手早く行灯《あんどん》に火を入れた。

「お澪坊、早く下へ行きな。酒が煮立っちまう」

種市が言えば、源斉も、ここは私に任せてください、と言い添える。澪は二人の言葉に甘えることにして、階段を駆け降りて調理場へと戻った。ちろりを片手に下げ、小鉢と箸、それに盃を盆に載《の》せて店の表へ出る。

床几にひとり座り、小松原は月を見上げている。物思いに耽《ふけ》るその少し怖いような横顔を、澪はとても好ましく思った。

「おお、来たな」

澪に気付くと、侍は普段の顔に戻ってにやりと笑った。脇へ盆が置かれると、待ちかねたように自分から盃を手に取る。澪は地に膝をついて、小松原の盃に酒を注《つ》いだ。

「うん、旨いな」

最初の一杯をゆっくりと呑《の》み干すと、小松原はほっと息を吐いた。その時、澪さん、と控えめに呼ぶ源斉の声がして、澪は慌てて立ち上がった。

「ご店主は休まれましたから、私はこれで」

源斉は澪に言い、小松原にはお先に失礼いたします、と礼儀正しく声をかけて帰って行った。その後ろ姿を目で追いながら、小松原が、はて、何処かで見た顔なのだが、と独り言のように呟いた。

「旅籠町で開業しておられる医師の源斉先生です」

ふうん、と気の無い声で応えて、小松原はふと、盆の小鉢に目を留めた。

「ほう。枝豆か。こいつは趣向だな」

小鉢を引き寄せて、箸は使わず、枝豆を摘まむとちゅんと中身を啜《すす》った。澪は、不安を隠して小松原の脇に跪《ひざまず》くと、盃に酒を注いだ。食べ終えたはずが、例の「面白い」は聞こえて来ない。澪はおずおずと小松原を見上げた。

「これは今日、客に出したのか？」

難しい顔で問う男に、澪は、はい、と頷く。

「他には何を出した？」

「豆腐と菊花の澄まし汁です」

「残っていたら食わせてくれ。温めなくて良い」

そう命じて用意させた椀物《わんもの》を、ほんのひと口味わうと、小松原はまたも難しい顔で器を放した。澪は、手にした盆をぎゅっと胸の中に抱きしめたまま、小松原の言葉を待った。

男は暫く黙って澪を見下ろしていたが、ゆるりと腕組みを解くと、意外に静かな声で言った。

「お前さんは、この味に得心しているのか」

ああ、やはり。

澪はぐっと唇を噛んで、俯《うつむ》いた。

自分の作る料理に対する、拭《ぬぐ》いきれない不信と不安。隠しておきたかった核心をあっさり見抜かれてしまったのだ。

澪は身を乗り出すようにして、声を絞った。

「何とかしたい、と。何とかしなくては、と。そう思いながら、出口が見えないのです」

最初は上方の味を押し通して、拒まれた。江戸には江戸の味がある、そう思い、合わせる努力をした。自分の作るものを人が旨い、旨いと食べてくれることに喜びを感じる一方で、どうしても自分自身、納得出来ない料理がある。澪は、辛い胸の内を切々と訴えた。

じっと聞いていた男の表情が次第に柔らかくなっていく。娘はそれに気付かない。語り終わって拳を震わせている澪に、しかし、小松原は言葉をかけなかった。

少しだけ欠けた月が、地面に影を二つ、作っていた。光の加減で寄り添って見えるその影を見つめながら、澪は暫く、男の助言を待った。けれどやがて息苦しくなって、諦めたように立ち上がった。ちろりを手に取ると、熱いのをつけてきます、と萎《しお》れた声で言う。

ふいに小松原が口を開いた。

「俺の耳にも入っているくらいだ、鰹飯はこれから大評判を取るだろうよ。店は暫くは安泰だろう。お前が自分の味に得心しているのなら、俺は何も言わないつもりだったが」

残っていた酒をぐっと干して盃を置き、男は澪を鋭く見つめた。

「鰹田麩《かつおでんぶ》、心太《ところてん》、鰹飯。評判を取ったものは、どれも料理の本筋から外れている。本筋に戻れ。そして己の一番の欠点から目を逸《そ》らすな」

一番の欠点、と澪は口の中で復唱する。

ああ、と男は頷いて立ち上がった。

「料理の基本がなっていない。根本を間違えていることに気付いていないのだ」

斬《き》り捨てるように言うと、その場に立ち竦《すく》んでいる娘を振り返ることもせず、男は明神下へと消えていった。


「えらい厳しい物言いやなあ。料理人に止《とど》め刺すようなもんや」

澪から話を聞き終えて、芳は吐息とともに呟いた。目の前の娘は自信を失い、ひと回りもふた回りも小さく見える。

はてなの飯が評判を取ったことで、喜んで飛び跳ねて帰って来るもの、と思い込んでいた芳だった。ところが澪は、真っ青な顔で帰ったきり、ろくに口も利かない。その苦しみを見過ごすことが出来ずに、芳は、何とか娘から小松原との会話を聞き出したのだった。

ろくに料理も知らん侍が何を偉そうに、と言いかけて、芳は、はたと気付いた。

「そのお侍は、鰹飯は口にしてはらんのやな。東煮《あずまに》とお汁《つゆ》の味を見はっただけか？」

声も無く、澪はかすかに頷いた。

芳は、視線を行灯の明かりに向けて、じっと考え込んでいる。随分と長い間そうやって思案して、ああ、と声を洩らした。澪が顔を上げると、芳はひどく感心した表情で、なるほどなあ、と独り頷いている。

「そのおひと、ただの浪士と違うなあ。かなりの切れ者やわ。お武家のことはよう知らんけれど、以前はかなりの要職やったんやないか」

澪に視線を戻して、芳は続ける。

「料理のことも、ようわかってはる。その上での物言いやったんや」

「ご寮さん、それは一体」

澪は、戸惑った顔を芳に向ける。

ええか、澪、と芳はその瞳を覗き込んだ。

「鰹田麩《かつおでんぶ》、心太《ところてん》、鰹飯。小松原というお方は、これを料理の本筋から外れてるて言わはった。そして、東煮《あずまに》とお汁《つゆ》の味で、お前に基本がなってへん、と断定しはった。後の二つの料理に使《つこ》うて、前の三つの料理に使うてへんもんは何や？」

澪は必死で口の中で繰り返す。東煮と澄まし汁に使い、鰹田麩、心太、鰹飯に使わない。一方に使い、一方に使わない。

澪が、はっと目を見開いた。思わず、芳の方へ身を乗り出して叫ぶ。

「ご寮さん、出汁《だし》、出汁、出汁です」

「そう、出汁や。嘉兵衛かて、いっつも言うてたやないか。料理の基本は出汁やて」

言われてみれば、澪には思い当たることばかりである。水の違いで思うような昆布《こぶ》出汁は取れない、鰹出汁を使ってはいるが、その引き方は種市を真似《まね》たもの。出汁が決まらないから、自分の料理に納得が出来ないのだ。

澪は恥ずかしさのあまり、頭を抱えた。

こんな迂闊さで、よくもまあ、料理人気取りでいられたもの。天満一兆庵の再建など、よく誓えたものだ。恥ずかしくて恥ずかしくて、消え入りたいほどだった。

「手本になる味を知らんのや、無理もないことやわ。教える立場の嘉兵衛はおらんし。こんな時、佐兵衛が」

言いかけて首を振り、芳は、帯の間に挟んだ巾着を引き抜いた。それを澪の前に置く。

「仕立物の手間賃の中から、もしもの時のために取っておいたお銭《あし》や。次の休みに、江戸で評判の良い料理屋の料理を食べとおみ」

「ご寮さん、だめです」

澪はうろたえて、その巾着を押し戻す。

「料理屋だなんて、そんな贅沢《ぜいたく》は」

あほやなあ、と芳がほろほろ笑った。

「一文惜しみの百知らず、いう諺《ことわざ》があるやろ。取っときなはれ。大丈夫や、お前はんの味覚は嘉兵衛のお墨付き。江戸の水でどれほどの味が出せるんか、その舌でよう確かめて来なはれ」

翌朝、種市が手配した戻り鰹がつる家に大量に届いた。それを全部使って、澪は調理場で鰹飯の仕込みをする。汁物も他のお菜もなし。鰹飯の売りだけに賭けるつもりだった。その代わりに、鰹飯を持ち帰り出来るよう握り飯にして、店の表でも売ることにした。こちらは種市に手伝ってもらうことになった。

「お澪坊、鰹飯屋に宗旨替えかい？」

種市は首を捻ったが、澪に何か考えがあるのだろうと察して、それ以上は何も言わない。準備を整えて暖簾を出しに表に出ると、昨日の評判を聞きつけた者がもう列を作って待っていた。戻り鰹を有り難がって食べるという野暮な行為も「はてなの飯」という名前が、粋《いき》な遊びに替えてしまったのだ。

客は引っ切り無しに暖簾を潜り、そしてまた、暖簾の外では握り飯が飛ぶように売れた。予想していた以上の売れ行きに、流しには汚れものが溜《た》まり、注文を受けるのが滞り始めた。種市にもこれ以上無理はさせられない。もう限界だ、とそう思った時。

「澪ちゃん、大丈夫かい」

勝手口ががらりと開いて、おりょうがひょいと顔を出した。

「おりょうさん」

「ご寮さんに頼まれてね。手の空いたものばかりで助《すけ》っ人《と》に来たよ」

言い終わるより早く、長屋の顔馴染みのおかみさんたち三人が手分けして流しの汚れものを片付け始めた。表では、芳が種市に代わって握り飯を売っている。

「済みません」

澪が頭を下げると、おりょうたちは声を揃えて、なあに、これまで美味しいお裾《すそ》分けを貰《もら》ったお礼だよ、と言った。

澪はこの日、一斗五升の米を炊き、鰹飯を装って装って、握って握って、日が落ちるまで身を粉にして働いたのだった。

種市から許しを貰って、売上げの中から謝礼と、別に取っておいた鰹飯を少しばかり持たせて、おりょうたちを送り出すと、澪は腰が抜けて立てなくなった。

「お澪坊、大丈夫か」

種市が芳に支えられて内所から降りて来た。澪は長床几に手を突いて身体を支え、何とか身を起した。

「旦那さん、今日はご無理させてしまって」

済みませんでした、と詫《わ》びる澪に、種市はいやいや、と疲れた顔で応える。

「よもや、いきなり今日、こんなことになるとはなあ。こいつはちと考えねばなるまいよ。毎日こうなら、俺もお澪坊もおっ死んじまう」

種市は、よいしょ、と床几に座った。

「取りあえず、明日は休むんだろう？」

「はい」

明日は神田明神の祭礼で、馴染みの魚屋は商いを休む。ならばいっそ、と思いきって店を休むことに決めていたのだ。

「ありがてえ。けど、その後は……えい、くそ、後のことが考えられねえ」

くたびれ果てた声で種市が零すと、それまで黙って控えていた芳が、失礼しますよ、と向かい側の床几に腰を下ろした。澪にも命じて自分の隣りに座らせる。

「旦那さん、今日のような騒ぎは、おそらく今日限り。明日、店を休むのなら、明後日《あさって》からは、大分と静かになりますやろ」

芳の落ち着き払った声に、種市と澪が顔を見合わせた。

「そ、そいつはどういうわけなんで」

種市の問いかけに、芳はにっこり笑うと、こう言い切った。

「真似をする輩《やから》が現れるからだす。それも、おそらく一軒、二軒では済まへんと思います」

あ、と種市と澪は同時に声を上げた。

確かに、生き馬の目を抜くこの江戸で、銭になるものを見逃す同業者は居ないだろう。

「ってことは、お澪坊の考えた『はてなの飯』は……」

「そのうち、至る所で売られるようになる、思います。鰹飯自体は、別に澪が考えたわけやあらしまへんし。『はてなの飯』いう名前を使うな、いうても無駄ですやろ」

話の内容に不安を覚えるはずが、澪は、芳が天満一兆庵のご寮さんの頃の語り口そのままなことに、妙な安堵感を抱いた。

「それじゃあ、もう客はつる家には来ない、ってことですかい」

種市が呻くと、芳は、きっぱりと首を横に振った。

「今日ほどはお見えにならんのは確かだす。けど、よその店へ行かはっても、味のわかるお客さんは必ず戻って来やはります」

「どうしてそう言えるんで？」

「江戸のおひとは初鰹の料理の仕方はようご存じでも、脂の乗った戻り鰹の扱い方は、おそらく、この澪ほどには知りはらん思います。澪の鰹飯と同じ味を作るんは、そう容易《たやす》いこととは違いますやろ」

種市がほう、と感嘆の声を洩らす。

「お澪坊から、ご寮さんが大坂の有名な料理屋の女将《おかみ》だった、と聞いちゃあ居たが、なるほど、大したもんだ」

とりあえず安心しましたぜ、と歯を見せる種市に、芳は畳みかける。

「安心せんといておくれやす。戻り鰹の旬が過ぎた後、店をどないするか。それが大事なんだす。何ぞ店の看板になる料理、簡単に真似されん料理を考えんとなりません」

ご寮さん、お見事。

澪は思わず、手を叩いていた。


翌、長月十五日。

神田明神祭の神輿《みこし》やねりものを一目見ようと、界隈は早朝から大変な人出となった。澪は人波に逆らうように、昌平橋《しょうへいばし》を渡って須田町、神田鍛冶町《かじちょう》、本銀町《ほんしろかねちょう》と歩いて本町《ほんちょう》に着いた。目指す料理屋は、本町一丁目の外濠沿いにあった。

日本橋「登龍楼」。

相撲《すもう》の番付になぞらえて、何でも番付表にするのが大好きな江戸っ子たちが、ここ数年、料理屋の番付の東方大関に選んでいるのが、登龍楼であった。いつぞや、種市が「江戸一番の料理屋」だと話していた店だ。一見《いちげん》客でも断らない代わり、目を剥くお代をもぎ取られると聞いていた。

そこは切妻《きりづま》造りの二階家で、黒漆喰《しっくい》壁に連子格子のついた窓が並ぶ。下屋庇《げやびさし》の影を踏んで歩けば、平入りの玄関にたどり着いた。折しも、客を見送りに出ていた仲居と思《おぼ》しき女と目が合った。

さり気ない一瞥《いちべつ》で値踏みされるのを感じて、澪は背筋を伸ばした。身に纏《まと》っているのは浅葱紬《あさぎつむぎ》、帯は黒繻子《しゅす》で、ごく質素なもの。女は、澪の挿している簪《かんざし》に目を留めた。これだけは高価な珊瑚《さんご》のひとつ玉で、今朝、芳が自分の髪から引き抜いて、お守り替わりに、と挿してくれたものだ。婚礼の日に嘉兵衛から贈られたと聞くその簪が、芳の髪を離れるのは、澪の知る限り、初めてのことだった。

江戸見物の語り土産に、江戸一番と謳《うた》われるこちらで軽い食事がしたい。上方訛《なま》りで澪が言えば、そうした客が多いのか、仲居は、どうぞこちらに、と中を示した。

帳場にほど近い、六畳ほどの部屋に通される。目の詰んだ畳が足袋《たび》越しに心地良い。軸も花もないが、四方の襖に描かれた龍が見事だ。

見事だが落ち着かない、と澪は胸の内で呟いた。店側が田舎者と踏んだ客用の部屋なのだろう。それならば、と澪は逆に気が楽になる。仲居に懐具合を伝えて、吸い物ひと椀を頼んだ。随分な注文だが、仲居は嫌な顔を見せなかった。

ほどなく運ばれてきた椀は、龍蒔絵《まきえ》の吸い物椀。下から包むように触れる。漆の質感で、澪は店主の器選びの目の確かさを思った。

「ああ」

蓋を取った瞬間、上品な鰹の香りが広がる。つる家で嗅ぎ慣れた濃厚な鰹出汁《だし》の香りとは全く別物だ。奥ゆかしく、そのくせ、うっとりするほど芳しい香《かぐわ》り。

澪は夢中で椀に唇をつけて、その汁を吸った。口に含むと、鰹のほのかな香りが鼻へと抜けていく。ゆっくりと飲み込む。途端、澪は瞠目した。何と抑制の利いた爽《さわ》やかな味だろう。これが鰹出汁の本当の味なのか。

今まで何処に目をつけていたのだろう。小松原の言っていた「料理の本筋」から、自分は何と遠い所に居るのか。澪は完敗した思いで、箸を手に取った。椀の底には海老《えび》しん薯《じょ》が控えていた。

勘定を済ませて登龍楼を出た後、どこをどう歩いたのか記憶がない。気が付くと、江戸橋の袂に立ってぼんやりと川を眺めていた。このまま江戸橋を渡り、目の前の楓《もみじ》川に沿って真《ま》っ直《す》ぐに行けば、三ッ橋にたどり着く。天満一兆庵の江戸《えど》店《だな》があったあの場所へ。

遠い。何と遠い。

永遠にたどり着けないのではないか。

澪は強く頭を振って、そんな怖《お》じ気《け》を頭から叩き出した。

ふと、佐兵衛を思う。佐兵衛は一体どうやってあの味と闘ったのだろう。今さらながら、その苦労が偲《しの》ばれて、澪はそっと唇を噛んだ。弱音を吐いている場合ではないのだ。とにかく帰ろうと歩き出した時、視界の端に店の看板が入った。そこに書かれた文字を見て、澪は、ああ、と声を洩らした。次の瞬間夢中で地面を蹴って駆け出していた。

小舟町《こぶなちょう》の鰹節商。小売りの店内には、料理人とわかる客の姿が目立った。

「江戸土産に鰹節を持ち帰りたいて思てますのやけど」

息を弾《はず》ませながら駆け込んできた娘に、手代らしい青年が、お伺いいたしましょう、と愛想よく近付いてきた。

「大坂にも確か鰹座という取り引きどころがございましたねえ。けれど、やはり鰹節は江戸の方が良うございますよ。お土産にされるとは良いお考えです」

「使い方を教えてもらえませんやろか。家でお吸い物を作りたい思てます」

よろしゅうございますとも、と青年はにこやかに頷いてみせた。

削りたてを使う。

煮えたぎる手前の湯に入れる。

吸い物に使う場合は煮立たせない。

手代から教わった三つを胸の内で繰り返しながら、澪は、怒りに任せて勢いよく鰹節を削る。上物の鰹節にそれを削る道具、ともに小舟町で入手して来たものだった。

「よりによって全部、逆やったのやなあ」

七輪で湯を沸かしながら、芳が吐息混じりに洩らす。

つる家では、予《あらかじ》め厚めに削った鰹節を使い、沸騰した湯でぐつぐつと長い時間煮立たせたものを出汁《だし》として使っていた。鰹の濃厚な旨みこそが蕎麦を引き立てるのだ。だが、蕎麦にはそれが最適としても、野菜などの料理に用いた場合、素材が鰹の味に負けてしまう。澪は自分に腹が立ってならなかった。

鰹節に関しては全くの素人なのだ。何故もっと早く、鰹節商を訪ねて教えを請わなかったのだろう。出汁引きは料理人にとっては秘伝の技だが、そこに至らない基本的なものは鰹節商が心安く教えてくれる。どうしてもっと早く、そのことに気付かなかったのか。

迂闊にもほどがあった。

「澪、そろそろ、ええ頃合いやわ」

芳に呼ばれて、澪は削りたての鰹節を持って土間へ下りた。鍋にひと摑みの鰹節を入れ、教わった通り、煮立たせず、削り節が沈んでから、笊に敷いた布巾で漉《こ》す。二つの茶碗に少し取って、ひとつを芳に渡した。

「えらい薄い色やねんなあ」

行灯の火で色を確認してから、芳が香りを嗅ぎ、そっと口に含んだ。これは、と芳が声を洩らし、驚いたように澪を見る。

「何と上品な香りと旨みやろか」

出来るかも知れない。

否、きっと出来る。

この出汁《だし》を育てて、誰にも真似できない美味しい料理を作るのだ。あの登龍楼の吸物にも負けない味を、きっと。

澪は、茶碗の底に残る出汁を見つめながら、奥歯をぐっと噛みしめた。

朝、澪が表へ出ると、奥の井戸端でおりょうが洗濯をしていた。お手伝いをしているつもりなのか、その太い腰を後ろから太一がとんとんと叩いている。目を細めるおりょう。仲睦《むつ》まじい親子の姿に、澪は頬を緩めると、声をかけずに路地を後にした。

「お澪坊、大変だ」

つる家の調理場で鰹飯の下拵えをしていると、源斉のところへ治療に行ったはずの種市が、息を切らせて戻って来た。

「出た出た、出ちまった」

「季節外れの幽霊でも？」

「ふざけてる場合かよぅ」

種市が、ぷっと頬を膨らませる。

「はてなの飯を出す店が、この界隈だけで三軒も出ちまった。うち一軒は、このすぐ裏の一膳飯屋だってんだから、馬鹿にするにもほどがあるぜ」

まあ、と澪は、半ば感嘆の声を洩らした。芳の読んだ通りの展開になったのだ。

「なら、よその店へ流れるお客さんも居ますね。今日はご飯を炊く量を少し控えましょう」

途端、種市が目を剝いた。

「お澪坊、何だってそんなに落ち着き払ってるんだよぅ。腹が立たないのか？」

それに答えようとした時、店の引き戸が開いて、ごめんよ、と呼ぶ声がした。二人が応対するより先に、声の主はすたすたと調理場まで入って来る。その顔を見て、あら、と澪は少し驚いた。おりょうの亭主、伊佐三なのだ。

「悪いが流しを見せてもらうぜ」

無口な伊佐三はぼそりと言って大工道具を肩から下ろすと、流しの寸法を取り始めた。

「流しの高さを変えさせてもらっても構わねぇか、親父さん」

種市は目を白黒させている。

「ど、どういうことだい」

「立ち仕事でこの高さだと腰に負担がかかる。うちの嬶《かかあ》が腰を痛めちまった」

澪は、今朝の光景を思い出して、ああ、と呟いた。先日の助っ人で、おりょうは腰を痛めていたのだ。申し訳のないことを、と澪は両の眉を下げた。

伊佐三は一旦外へ出て角材を持って戻ると、手際よく脚に噛ませて流しの高さを変えた。腕の良い大工と聞いていたが、鮮やかな仕事ぶりに種市も澪も感心しきりだ。

「嬶が次にここを手伝う時のために、俺が勝手にしたことだ。代の心配はしねぇでくれ」

ぼそりと言って大工道具を肩に担ぐ。店を出て行く際、そういえば、と思いだしたように二人を見た。

「はてなの飯——鰹飯を食わせる店がよそにも出来て、俺も仲間も握り飯にしたのを食ったが、ここの握り飯の足元にも及ばなかったぜ」

伊佐三を見送りながら、種市が鼻を啜る。

「嬉しいじゃねぇか、ありがてえじゃねぇか」

こくりと澪も頷いてみせた。

その日を境に、つる家の客は格段に減った。予想していたよりもはるかに急激な減り方で、種市など、この世の終わりのように嘆いた。

しかし、澪には伊佐三の言ってくれた言葉がずっと胸の中にある。芳の読みの通り、味のわかるひとはきっと戻って来てくれる、そう信じることが出来た。

店内で食べる客が少ないとみると、澪は握り飯を増やし、種市と交代で表に立って売った。伊佐三のように外で仕事の合い間に食べる者のために、手に米粒がつかないよう浅草海苔でくるんでみた。それがまた評判を呼んだ。そしてまた真似されるのだった。

「何度こんな目に遭っても、へこたれないとは、お澪坊は本当に大したもんですぜ」

店じまいした店内。下戸の源斉を相手に、ほろ酔い加減の種市が先ほどから同じ話を繰り返している。

源斉先生もお気の毒に、と澪は調理場で出汁《だし》を引きながら呟いた。店じまいの後、ここで出汁《だし》引きをすることを種市に許してもらい、毎夜、少しずつ鰹の量を変えたり、二度に分けてみたり、と工夫して、よりよい引き方を模索している澪である。

「澪さん」

源斉が、調理場を覗いて、澪をそっと呼んだ。見ると種市が長床几に窮屈そうに横になっている。澪が慌てて二階に布子を取りに行き、種市の身体に掛けてやった。

「やあ、これは良い。これなら腰も楽ですね」

調理場に留まっていた源斉が、流しの高さを確認するように、幾度も両手で触った。経緯《いきさつ》は種市から聞いていたらしい。

「源斉先生、出汁の味を見て頂けませんか」

澪は言って、二つの茶碗を差し出した。引き方を変えた二種の出汁に、それぞれ一滴だけ醤油を垂らしたものだ。源斉は色の薄い方から二種、ゆっくりと味わう。

「色の薄い方が香りが良いですね。でも濃い方は旨みが強い」

そうなんです、と澪は大きく頷いた。香りが良いものは吸い物にふさわしい。旨みの強いものは野菜の味を引き立ててくれるだろう。

源斉は同じ鰹節で多彩な味が生まれることに、心底驚いた様子だった。

「先ほどご店主も話しておられたが、澪さんは本当に大したものだ。上方の昆布出汁と江戸の鰹出汁とでは勝手も違うでしょうに」

「ええ。昆布出汁の旨みは、まろやかで甘いんです。口に入れると全体にふんわり広がって行く感じ。逆に鰹出汁の旨みは鋭くて、舌の上に集まって来る感じがするんです」

面白いですねえ、と源斉は唸《うな》った。

「澪さんの舌は素晴らしいですね。私は物の味をそんな風には表現できないです」

真っ直ぐに褒められたことが嬉しくて、澪は頬を染めて手にした玉杓子《たまじゃくし》を弄《いじ》った。

源斉は、ふと、独り言のようにこう呟いた。

「同じ旨みでも、片や広がり、片や集まる。いっそ両方を合わせたら、口の中全体が旨みで満たされそうですよね」

片や広がり、片や集まる。

両方を合わせたら……。

澪の手から、玉杓子が落ちた。


夜半。

芳は、誰かに呼ばれた気がして、ふっと目を覚ました。部屋が仄《ほの》かに暖かい。匂う。これは出汁の香りか。

手を伸ばして、夜着の中を探る。隣りに寝ているはずの澪が居ない。パチパチと火の爆《は》ぜる音が聞こえて、はっと芳は夜着を撥《は》ね除《の》けた。半身を起こして、火の気の方へ顔を向ける。土間に、澪がじっと蹲っていた。

七輪の火が、その顔を下から照らしている。

眉根を険しく寄せ、脇に置いた鍋の中を凝視するその眼差し。双眸に火色が映り、炎々と燃え立つようだ。日頃の愛らしい娘からは、およそ想像も出来ぬ表情だった。

――愛染《あいぜん》さんや。愛染明王や
芳は、忿怒《ふんぬ》の形相で知られる仏の姿を澪に重ね、固唾《かたず》を飲んだ。

八つの頃から傍に居て、何もかも知り尽くしているような気になっていたが、この娘の中には、何かとんでもないものが潜んでいるのかも知れない。芳は初めて、澪のことを恐い、と思った。

芳はその名を呼びかけて、とどまった。無言で布団に戻り、静かに夜着を掛ける。天井に目を向け、息を詰めて澪の気配を探った。

夜明け前近く、澪が冷えた身体でそっと布団に潜り込んで来た。芳を気遣い、布団の端で身を縮める。その身体が小刻みに震えているのは、寒さの故ばかりではないようだった。夜着の中で手を差し伸べて背中を撫でてやろうとした芳だが、澪が何かに独り挑み、独り耐えようとしているのを感じて、伸ばしかけた手を引き戻す。

芳は澪が眠りに落ちるのを待った。根気強く待って、澪が深い眠りに入ったのを知ると、そろそろと起き出して、土間に立った。戸口を少しだけ開けて、仄白くなり始めた外の明かりを入れる。布巾をかけた鍋が竈に置かれていた。中に出汁《だし》が入っている。小皿に少し取り、そっと吸ってみる。

一瞬、全身の肌が粟立《あわだ》った。

芳は小皿を取り落としそうになるのを何とか堪える。震える手で、もうひと口。

まろやかな甘みの中に潜む、切れの良い辛み。深く濃く、それでいて軽やかな味わい。これほどまでに彩り豊かな旨みは、全く未知のものだった。

激しく動揺しながら、周囲を見回す。流しに笊があった。手に取ってみると、ほとびた昆布に削り節がまとわりついている。こんなものが何故、と思い、はっと芳は息を飲んだ。

上方の昆布と、江戸の鰹節。

この娘はもしや、二つを合わせて出汁を引くことを思いついたのではないのか。

芳は手を伸ばして、棚を探った。取ってあった昆布が無くなっている。鰹節も小指の先ほどが残っているだけだった。

――可哀そうに。材料をふんだんに使《つこ》て、思う存分に試してみたいやろに……

枕もとに座り、澪の健やかな寝顔を覗き見る。愛染明王に重なった面影は既に娘から去っていた。身を震わすほどの思いからも解放され、あどけない顔で昏々《こんこん》と眠っている。

堪忍なあ、と芳は声にせずに呟き、娘の頬をそっと撫でる。何もかも堪忍なあ、と胸の内で繰り返して、芳は瞼を拭った。

「これまで色んな店で、くどいのやら生臭《なまぐさ》いのやら、色んな『はてなの飯』を食ったが」

つる家の床几に腰掛けて、鰹飯を掻き込みながら、植木職らしい男が言う。

「ここのが文句なしに一番旨い。この旨さはただものじゃねぇや」

そうだそうだ、と客の何人かが相槌を打つ。

嬉しいことを言ってくれるねえ、と種市は顔をくしゃくしゃにしながら、鰹飯を運んでいる。芳の言った通り、味のわかる客が徐々に戻って来てくれたのだ。調理場で澪はほっと安堵の息を吐いた。

そう言えば、と澪は芳のことを思い、両の眉を下げる。目処《めど》が立つまでは、と新しい試みを伏せているために、ここ数日、芳とろくに口を利いていない。芳は芳で、日中、ずっと家を空けている様子なのだ。互いがすれ違っているようで、澪は不安になる。

時分時を過ぎて、客足が落ち着くのを見計らったかのように、当の芳が、つる家の勝手口に現れた。背後に手代風の男が従っている。さあさ、中へ、と芳が男を招き入れた。

「ご寮さん、これは一体」

手代が大きな荷を調理場の板張りに置くのを、澪はおろおろと見守った。風呂敷を解くと、中から束ねられた昆布が顔を出した。ざっと三十束はある。いずれも質の良い真昆布だ。さらに幾節もの鰹節がずらりと並べられる。

はっとして澪は芳の顔を見た。

「日本橋伊勢町《いせちょう》、大坂屋《おおさかや》でございます。お品が切れましたらまたお声かけておくれやす」

上方訛りで言うと、男は丁寧に腰を屈めて一礼し帰って行った。種市は訳がわからず、ぽかんと口を開けている。芳が土間に膝を折り、その種市に両手をついて頭を下げた。

「つる家の旦那さんにお頼み申します」

「ご寮さん、何をなさるんで」

慌てふためく種市に、芳は、土に額を擦《こす》りつけながら、言った。

「何も仰《おっしゃ》らず、これを使《つこ》うて澪に思うような料理を作らせてやって頂きとうおます」

「ご寮さん」

澪は叫び、土間から芳の額を引き離す。

澪が試みようとしていることを、芳はとうに気付いていたのか。その算段を調えるために、この数日を費やしていたのか。

澪は、芳の髪から珊瑚のひとつ玉が消えていることに気付いて、顔を歪《ゆが》めた。嘉兵衛から贈られた簪。倹《つま》しい暮らし向きの中でも手放さずにいた唯一、往時を偲ぶ品。しかしそれのみでこれだけの品揃えに足るかどうか。伝手《つて》を頼りに同郷の商人に頭を下げて回ったに違いないのだ。その芳の胸中を思う。

ご寮さん、と澪は声を絞り、その肩に顔を埋めた。歯を食いしばって嗚咽《おえつ》を堪えようとしたが無駄だった。

吐く息が白い。

澪は、長い祈りを終えると顔を上げ、宙にふわっと広がって消えるその息を目で追った。

化け物稲荷の祠の脇の竜胆《りんどう》が、露霜を抱いている。

季節は秋から冬へと移ろい、戻り鰹もそろそろ終わりを迎えようとしていた。これまで散々真似された鰹飯だが、ひと月経った今、残っている店を聞かない。つる家の鰹飯を気に入って、足繁く通ってくれる客のあるうちに次の看板料理を、と祈る思いの澪である。

「神狐さん、次は良い知らせを持って来れると良いのだけれど」

手を伸ばして神狐の顔をそっと撫でると、澪は立ち上がった。出汁の香りがしたように思って、袖の匂いを嗅ぐ。案の定、昆布と鰹節の良い香りが染み付いていた。このところ、やけに野良猫にもてるはずである。

香を焚《た》きしめる代わりに、出汁《だし》で煮しめられてしまったわ、と澪は、神狐にのびやかに笑ってみせた。

胸の中に一筋の光が射している。

この光を抱いて行こう。澪は両の掌を胸にあて、もう一度祠にお辞儀をした。

その日の夜。

芳は澪に言われて、暖簾を終《しま》ったつる家を訪れた。種市が落ち着かない顔で床几に座っている。二人が口数少なく待っている気配を察しつつ、澪は鍋の様子を注意深く見た。

半日ほど水に浸けておいた昆布をその水ごと火にかけて、沸騰する前に昆布を引き上げる。そこへ削り立ての鰹節を入れ、ゆっくりと十かぞえて火から離す。削り節が沈んだら布巾で濾す。それが、幾度も修練を重ねて、澪が見つけた合わせ出汁の引き方であった。

こうすることで初めて、江戸の水では出せなかった昆布の旨みが、鰹の旨みに助けられて巧みに引き出されるのだ。

「おう、待ちかねたぜ、お澪坊」

種市が床几から腰を浮かせて澪を迎える。澪は二人の前にそれぞれ出汁の入った器を置いた。内側が白い碗を手に取り、芳が呟く。

「上品な色合いやなあ。香りも素晴らしい」

種市と芳が頷きあって、同時に碗に口をつけた。飲み込んだ途端、二人が驚愕の表情を見せた。信じ難い、という顔でさらにひと口、もうひと口。飲み干しても暫く押し黙ったままだ。ふいに芳が、何と典雅な、と呻くように言い、指の腹で目尻を拭った。拭っても拭っても、涙はじわじわと滲んで止まらない。

「お澪坊、よく……よく頑張り通したなあ」

種市が涙声を絞り出した。

澪は立ち上がると調理場へ行き、再度、盆に器を乗せて戻った。同じく白い碗を置く。芳が戸惑った顔で、これは、と問うた。

「先の出汁《だし》を引いたあとの出汁がらに、少し鰹節を足して再度煮たものです。こちらは煮物に使おうと思います」

先のものよりもずっと濃い色の出汁だった。種市がひと口啜って、歓喜の声を上げる。

「こいつはとんでもねえ、とんでもねぇや」

香りこそ先のものに敵わないが、旨みはこちらの方が優っている。出汁がらを使ったとは思えない味だった。種市は残りを飲み干すと、恍惚《こうこつ》となった。

「こいつで大根なんぞ煮られた日にゃあ、俺は卒倒しちまうよぅ」

芳は、先の碗を示して、澪に尋ねた。

「なら、こっちは吸い物に使うつもりか」

はい、と澪は頷く。

出汁だけで勝負するなら登龍楼にさえ勝てる自信はあった。後はどのような汁物に仕立てるか。それをまだ決めかねていたのだ。

「海老しん薯では、登龍楼の二番煎じになってしまいます。何か他の椀種をと」

けどよぅ、と種市が渋い顔になる。

「つる家は、登龍楼のような料理屋とは違う。吸い物が看板だとしんどいと思うぜ。別に吸い物に拘《こだわ》る必要は無ぇと思うがなあ」

「ほな、いっそのこと茶碗蒸しはどやろか」

間髪を容《い》れない芳の言葉に、澪は、ああっと声を上げて思わず両の手を打った。

茶碗蒸しなら出汁の味もわかる上に、腹もちも良い。そして何より茶碗蒸しは、天満一兆庵でも人気の一品だったのだ。

茶碗蒸し、と種市が首を捻っている。

「茶碗蒸しってぇのは、野菜とか魚を茶碗に入れて蒸すだけだろ？　ああ、出汁を張って吸い物仕立てにして蒸すのかい？」

「ええ？　江戸の茶碗蒸しは玉子を使わないのですか？」

澪が驚くと、それ以上に種市が目を剝いた。

「玉子？　玉子をどうするってんだ？」

二人の蒟蒻《こんにゃく》問答に、芳がぷっと吹き出した。釣られて澪が笑う。何だよぅ、と種市までが笑い出した。笑いながら澪は、胸の中に抱いていた光が確かなものとなって、これから行く道を照らしてくれるのを感じていた。

海老に銀杏《ぎんなん》、そして百合根。

それが澪の選んだ茶碗蒸しの具材だった。仕上げにこの時期は柚子《ゆず》の皮、春が来れば三つ葉をあしらう予定だ。

種市の話から、江戸の茶碗蒸しが大坂のそれと違うことがわかり、まずは客に味を覚えてもらう必要があった。

そこで、蓋付きのごく小さな器で茶碗蒸しを拵《こしら》え、店内で鯉飯を注文してくれた客に対して一斉に振る舞うこととした。これだけは澪の拘りで、漆塗りの小さな匙《さじ》を添える。

「何でぇ、こいつは」

ぞんざいな物言いで、無骨な客たちが塗りの匙を弄っている。

「はてなの飯から皆さんへ、お名残り惜しみのご挨拶です。お代は頂きません。器が熱いので、匙で召し上がってくださいな」

澪は内心のどきどきを隠して、にっこりと笑って応えた。ただとわかって、男たちは安心したように碗の蓋を取る。柚子の香りがふわっと舞う。艶々《つやつや》と膜を張ったように滑らかな黄の肌。それに海老の赤、銀杏の翡翠《ひすい》色が鮮やかだ。恐る恐る匙を入れて、客は、うっと声を洩らした。匙を通じての感触が全く未知のものだったのだ。大方の客が匙を目の高さに持ち上げて、ふるふると震える黄色の生地を訝《いぶか》しげに眺めた。怪しみながら口に運ぶ。

ざわついていた店内が、水を打ったごとくしんと静まり返った。客たちはただもう呆然と、碗の中を見つめている。

あかん、口に合わんのや。

膝から崩れ落ちそうになるのを澪は何とか堪えた。その時だ。ひとりの客が立ち上がって、俺は夢でも見てるのか、と呻いた。

「とろとろと口の中で溶けちまった。夢に違《ちげ》ぇねぇや、こんな旨いもの、この世にあるわけがねえ」

「違ぇねえ。こいつはまるで極楽の味だ」

隣りの白髪頭の職人が頷いて、男の肩に手を置いて座らせた。それを合図に、男たちはもう一度、匙を取り、ひと口ひと口、惜しむように食べ始めた。大騒ぎもなく、あからさまな褒め言葉もない。だが、恍惚としたその表情が全てを物語っていた。

種市が、澪を見て、大きく頷いてみせた。

「これは何て名の料理だい？」

客からそう問われた時、「茶碗蒸し」と答えようとして、澪は留《とど》まった。口火を切ってくれた男の台詞《せりふ》が妙に心に残っていた。

「『とろとろ茶碗蒸し』です」

口をついて、その名前が出た。

翌日からつる家では「はてなの飯」に替わって「とろとろ茶碗蒸し」を商った。大振りの茶碗にたっぷり入って、値二十文。別に白い飯と青菜の切り漬けを用意した。ぴりから鰹田麩のような格安感はない。鰹飯のような気安さもなかった。

だが、初日、味を覚えた馴染み客が残らず暖簾を潜り、食べてくれた。売り出しから五日経ち、十日経ちするうち、とろとろ茶碗蒸しの噂は口伝《くちづ》てで広まって、飛ぶように売れ始めた。そして、暦が霜月に替わる頃には、暖簾を出してから終うまで、客が途切れることが無くなったのである。

あら、また。

澪は、赤い手絡が暖簾の隙間に見え隠れするのに気付いて、器を下げる手を止める。店の表で、お稽古《けいこ》帰りだろうか、年頃の娘が数人、つる家に入ろうかどうしようか思案しているのだ。どうぞ、と内側から暖簾をめくって笑顔で声をかけたら、逆に小走りで逃げられてしまった。

「うちの店は野郎の客ばっかりだから、娘は入り辛いだろうよ」

種市が、仕方ねぇさ、と肩を竦《すく》める。

茶碗蒸しは食感の柔らかさと味わいの優しさが身上で、それは女性や子供、そして高齢者や病人の口にも合う。だが、そうしたひとたちはつる家にはなかなか足を運べない。

これまでも、「器ごと売ってくれ」と持ち帰りを希望する客も居たのだが、器にも数に限りがあるのと、冷めて風味が変わるのを恐れて、断り続けていた。何か良い方法はないか、と考えながら何も思い浮かばなかった。

「何度たべても感心してしまいます」

　往診の帰りに顔を出した源斉が、旨そうに茶碗蒸しを食べている。

「この茶碗蒸しは第一に美味しい。しかしそればかりではなく、名医の処方薬のように身体に効きます」

「処方薬？」

　澪が聞き返すと、源斉はそうですと頷いた。

「玉子が滋養になるのは明々白々。海老は老化による体力の衰えに効くのですよ。百合根は心身を健やかに保つ。銀杏は肺を丈夫にし、咳を鎮めるのです。この碗の中には、健やかさを保つ秘訣《ひけつ》がぎっしり詰まっています」

　床几に並んでいた客たちが、ほう、と感心したように手元の茶碗に目を落とす。

「何とか持ち帰れる方法があれば、私も患者に勧められるのですが」

　源斉が実に残念そうに洩らした。

　その夜、遅く。

　暖簾を下ろそうと表へ出た澪は、闇の中を提灯が揺れながらこちらへ向かって来るのに気付いた。提灯の「翁屋」の文字に、覚えがあるような気がして、首を捻る。頬被《ほおかぶ》りをした男が、もう終いか、と尋ねながら大股《おおまた》で澪に近づいた。

「吉原の翁屋の使いの者だ。間際に済まねぇが、ちと頼まれてやっちゃあくれまいか」

吉原の翁屋と聞いて、伝右衛門の禿頭《とくとう》が思い浮かんだ。あっ、と声を上げそうになるのを堪えて、男をひと先《ま》ず中へ通した。

「巷《ちまた》で噂の茶碗蒸しとやらを、是非とも食べてみたいと或《あ》るひとに頼まれたんだが」

そう言いながら懐から風呂敷包みを取り出し、床几に置くと、はらりと結び目を解く。黒地に金で桜と紅葉を散らした、見事な平蒔絵の蓋物が現れた。角の丸い優しい姿の弁当箱だった。

「済まないが、ここに詰めてもらえまいか」

男の依頼に、澪の両の眉が下がる。種市が、首を横に振ってみせた。

「そいつは無理だ。茶碗蒸しは茶碗で蒸して茶碗のまま食うものなんだぜ」

「なら、茶碗ごと売ってくれまいか」

申し訳ないのですが、と澪が小さな声で、茶碗の数が足りないこと、冷めれば味わいが消えることを告げた。

「茶碗蒸し、というのは京坂のものと聞いた。そのひとの故郷を偲ぶ縁《よすが》に、何としても持ち帰りてぇのだが。自由になれる身でもなし、せめてもの縁に」

三十路《みそじ》半ばの暗い目をした男は、そう言うと眉根を寄せて考え込んだ。その口ぶりから、茶碗蒸しを望んでいるのは花魁《おいらん》ではないのか、と澪は見当をつける。脳裏に、八朔《はっさく》の日に見た檻《おり》のような吉原全景が浮かぶ。同郷かも知れない、その思いが澪の心を動かした。

男の視線が、床几の中央、三寸（約一〇センチ）足らずの青竹で止まった。澪が店の彩りにと山茶花《さざんか》を一輪、生けたものだ。男は手を伸ばしてそれを取り、山茶花を引き抜いて澪に差し出した。

「なら、これを器に使っちゃくれまいか」

とんでもない、と言いかけて、澪は留まった。季節は夏に限られたが、天満一兆庵でも青竹を器として蒸し物に用いていたのを思い出したのだ。竹の香りが移り込んで何とも良い味わいになる。青竹ならば蒸し直しも容易いだろう。

良い考えかも知れない。

「俺は翁屋で料理番をやってる又次《またじ》ってもんだ。吉原じゃあ客に出す料理は喜の字屋《きのじや》から取るが、中の賄いは俺の役目だ。あんたの残りの懸念《けねん》だが、俺がちゃんと蒸し直して、熱いのを食べてもらうから安心してくんな」

澪の心が動いたのを察したように言って、又次はにっと笑った。

青竹を丁寧に洗い、さらに熱湯でぐらぐらと煮て内側の薄皮を剝《は》ぐ。それを器に仕立てて蒸し上げる。仕上げに澪は、ふと思いついて出汁《だし》であんを作り、それをとろりとかけた。

出来上がったものを受け取ると、又次は、ほう、と感嘆の声を洩らした。

「くずが引いてある。なるほど、こうしてあれば時が経っても表面が乾かねぇから、蒸し直しても旨いだろうな」

澪の思いを即座に見抜いて、男はしきりに感心してみせる。暗い印象だったはずが、料理を見つめる眼差しは、ひたむきで熱があった。弁当箱に青竹をそっと置いて風呂敷で包みながら、又次は、

「何か上方の話でも聞かせちゃくれまいか。俺は江戸より他を知らない。この茶碗蒸しと一緒に、土産話として持ち帰りてぇのさ」

と言った。又次から過分の礼を受け取った種市が、相好を崩して澪に頷いてみせる。

「お澪坊、例の新町の話はどうだい。同じ廓のことだし」

それなら、と澪は男に、遠い昔、新町廓の足洗いの井戸に幼馴染みと二人、履き物を落として大目玉を食った、と話した。又次は足洗いの井戸のことを珍しそうに聞いて、良い土産話が出来た、と喜んだ。

「青竹の器、あれをうちで使わせて頂いても良いでしょうか」

又次を見送りに出て、澪は尋ねた。律儀なことだ、と又次は顔をくしゃつかせる。

「勿論《もちろん》、良いとも。青竹の器なんてのは別に俺が考えたもんでもないしな。それよりこんな料理が持ち帰れるようになれば、喜ぶ客は多いぜ。この上に評判を取りゃあ、料理番付に載るのも夢じゃあるまいよ」

楽しみだな、と笑うと、又次は大事そうに風呂敷を抱えて帰って行った。

翌朝、出かける前の伊佐三を捉《つか》まえて、青竹で器を作る知恵を借りた。

「任してくんな。日本橋の竹河岸で、器に向く、とびきり良いのを仕入れて来てやるよ」

伊佐三はぽんと胸を叩く。

嘉兵衛の月忌《がっき》の度に訪れている、日本橋炭町。いつも竹河岸の竹を眺めていたことを思い、澪は不思議な縁を感じずにはいられない。

これは当たる。

否、当ててみせる。

見上げる暁天に、嘉兵衛の笑顔が大写しに見えた気がして、澪はきゅっと唇を引き結んだ。

翌日から、芳とおりょうに接客を任せて、澪は調理場で料理に専念した。青竹を器にした持ち帰り用の茶碗蒸しは、源斉の話が口伝てに広まって、病人や年寄りの見舞いに喜ばれ、大評判となった。また、年頃の娘や女性への手土産にも盛んに利用された。店の内と外、両方で飛ぶように売れたのだ。

はてなの飯と同じく、とろとろ茶碗蒸しを真似ようとする店は跡を絶たなかった。だが、どう逆立ちしてもその味に敵うはずもなく、つる家の独擅場となった。

そして迎えた、師走《しわす》、朔日《ついたち》。

一年を締め括《くく》る最後の月に入った、というだけで街中がどことなく気忙《きぜわ》しい。ここつる家でも朝から落ち着きが無かった。

「おっと、済まねえ」

茶碗が割れる音が響いて、おろおろと種市が土間に這《は》い蹲《つくば》った。これで三度目だった。

「旦那さん、今日は休んでいてください」

種市の腰の具合を案じて、澪が両の眉を下げる。開け放った勝手口からは、おりょうと芳が水桶にけつまずいているのが見えた。

何かおかしい。

澪は眉を下げたまま、首を捻る。三人が三人とも、朝から落ち着かないにもほどがある。師走に入ったことと何か係わりがあるのかしら、と澪は思いながら出汁を引いた。

仕度を整えて、暖簾を出そうとした時だ。明神下から何かを振り回しながら、伊佐三が駆けて来るのが見えた。おりょうに急用か、と澪は気を利かせ、店の中へ声をかける。

「おりょうさん、旦那さんが」

すると、おりょうだけでなく、種市と芳までが表に飛び出して来た。

「遅くなって済まねえ」

つる家の入口まで走り通して、伊佐三は荒い息を吐きながら肩を激しく上下させた。

「で、どうだったのさ」

焦れた声を上げる女房に、亭主は一枚の刷り物を手渡す。先ほど振り回していたものだ。

「一番乗りで手に入れて来たぜ」

「悪い、俺に見せてくれ」

種市が横から手を伸ばして、さっと広げた。老いた両眼をかっと見開いて、食い入るように刷り物を見ている。両脇から芳とおりょうも覗く。伊佐三がまだ整わない息で、そこじゃねえ、もっと上の方だ、と言った。

あ、と種市が低い声を洩らした。

あ、あ、と続いて二度。そのまま腰が抜けたようにその場に座り込む。芳とおりょうが刷り物を種市から奪い、書かれたものを目で追った。ああ、と芳は呟くと、掌で口を押さえる。おりょうが澪の手を取って、重い身体を弾ませた。

「澪ちゃん！　あんた凄いよ、やったんだよ」

訳がわからず、おろおろする澪に、

「まだわからないのかい。料理番付に載ったんだ。初星を取っちまったんだよ、あんたが」

と教えて、泣き笑いの顔になった。

例年、浅草の版元が師走最初の日に、料理屋の番付表を売り出す。伊佐三は種市に頼まれてそれをいち早く手に入れて来たのだ。

澪はおりょうから渡された料理番付を震えながら見た。

大関には登龍楼の名が堂々と記されている。その横、関脇の欄に「神田御台所町つる家とろとろ茶碗蒸し」とはっきりと書かれていた。

「聞いてくれ、つる家のとろとろ茶碗蒸しが、番付に載ったんだ、初登場で関脇なんだよぅ」

齢《よわい》六十五の種市が、子供のように泣きじゃくりながら叫んでいた。

夜半の梅——ほっこり酒粕汁《さけかすじる》

「番付表に載った『御台所町つる家』はこの店だよぅ。『とろとろ茶碗蒸《ちゃわんむ》し』だよぅ」

表で青竹入り茶碗蒸しを売る種市の声が、店内の調理場にまで響いている。澪は、注文を通しに来た芳と笑みを交わした。

「旦那《だんな》さんの腰の具合も良さそうやし、澪、ほんに良かったなあ」

そう言い残して熱々の茶碗蒸しを店内の客に運ぶ芳の姿を、澪は目を細めて眺める。種市だけではない、芳も以前とは比べようもないほどに元気になっていた。天満一兆庵という名店の女将《おかみ》だった芳にお運びを任せることには申し訳なさを覚えつつも、その生き生きと立ち働く姿は、澪に言いようもない幸福感をもたらした。

「面白いねえ、澪ちゃん。うちの客は大抵、黙って食べて、夢見心地の顔で帰って行く」

茶碗蒸しを取りに来たおりょうが、大きな身体《からだ》を縮めて小さく耳打ちする。

「あたしゃ知らなかったよ。本当に美味《おい》しいものを食べる時は、無口になるものなんだね」

面白いもんだ、とおりょうは愉快そうに言って、幾つもの茶碗蒸しの載った盆を軽々と運んで行く。ほんの一時の手伝いのはずが、おりょうはつる家にとって、芳と並び、なくてはならない存在になっていた。

それに、と澪は、二階の内所へ続く階段に視線を向ける。その一番下の段に、太一がちょこんと座っていた。おりょうがここで働いている間、太一は邪魔にならないよう大抵そこでひとり遊んでいるのだ。今日の遊び道具は銀杏《ぎんなん》の殻だった。相変わらず言葉はないのだが、太一がそこに居るだけで、忙しさのあまり尖《とが》りそうな空気が柔らかくなるのだ。

今のつる家は、種市から店を任された当初、待てども待てども暖簾《のれん》を潜《くぐ》る客の無かったことが嘘《うそ》のような盛況ぶりだ。気がかりだったご寮《りょん》さんの体調も良い、店も繁盛。心優しい人々に囲まれてもいる。何と果報者なのだろう、と澪は頬《ほお》を緩めながら柚子《ゆず》の皮を削《そ》ぐ。

――可哀《かわい》そうやがお前はんの人生には苦労が絶えんやろ。これから先、艱難辛苦《かんなんしんく》が降り注ぐ
ふいに、遥《はる》か昔に聞いた易者の声が耳の奥に蘇《よみがえ》って、澪の手を止めさせた。慌てて首を振り、胸に宿りかけた不安を追い払う。

いつの間にか幸せの前で足踏みする習慣が身についてしまっただけ、きっとそれだけ。

澪は自身にそう言い聞かせて、柚子の皮に向かった。

「ご寮さんとおりょうさんとに、夜も助けてもらっちゃあどうだい」

暮れ六つ（午後六時）を過ぎて、二人きりになった調理場で、種市が熱心に言う。

「それか別にひとを雇うかしないと、このままじゃお澪坊が倒れちまうぜ」

大丈夫です、と澪は純白の歯を見せた。料理を茶碗蒸しに絞った上、酒を出さないこと

もあって、夜の客は昼ほど多くはない。それに品切れで店じまいとするため、以前のつる家よりも早く上がれる。夜たっぷりと眠れば疲れは取れる、その若さが澪にはあった。

その夜。最後のひとつが売れた後、吉原翁屋の料理番、又次がひょいと顔を出した。

「申し訳ない。今、最後の客が食って帰ったとこなんだ、勘弁してくんな」

種市が手を合わせてみせると、又次は、やっぱりな、と残念そうに応《こた》えた。

「番付表に載った人気の品だからな。この時分になって残ってる訳もないさね」

吉原からここまでわざわざ足を運んでくれたことを思い、澪は、つい口を開いていた。

「茶碗蒸しではないのですが、上方《かみがた》を偲《しの》ぶ何かを拵《こしら》えましょうか」

「そいつはありがてえ。恩に着るぜ」

又次は懐から風呂敷包みを取り出して、澪に託した。例の弁当箱だ。澪が仕事を終えるまで少々時がかかると踏んだ種市は、

「俺は仕事上がりのこいつが好きでねえ、一杯、つきあっちゃくれまいか」

と、熱いちろりを床几《しょうぎ》に運んで又次に勧めた。ありがてえ、と又次はぎゅっと目を細める。あとを種市に任せて、澪は調理場へ下がった。

俵に結んだ握り飯に、ちょんちょんと黒胡麻《ごま》をあしらう。江戸の握り飯は三角か、もしくは丸い形に結ぶから、俵型は上方ならでは。黒胡麻で化粧するのも、江戸にはないことだ。ひとつだけ残っていた玉子で「巻き焼き」と呼ばれる、砂糖を使わない玉子焼きを作

る。江戸の玉子焼きはどっさりと砂糖が入るため、菓子のようで澪の口には合わなかった。ふっくら焼き上がったその切れ端を口にして、澪は満足そうに頷《うなず》いた。さて、次はどうしたものか。考えながら、視線を調理場内に廻《めぐ》らせる。

「ああ」

目を向けた先に昆布《こんぶ》があった。澪は手を伸ばして昆布を取ると、思案顔になった。

そう言えば、江戸にはおぼろ昆布がない。昆布を仕入れている日本橋の大坂屋から聞いた話では、江戸では昆布を削ってまで食べる習慣はないとのことだった。しかし、食欲のない時でも、温かなご飯におぼろ昆布を乗せたものなら喉《のど》を通る。吸い物にしてもいける。味わい深い上に優しい食感で、大坂では、老若男女を問わずに好まれる一品だった大坂に居た頃、心斎橋筋に昆布屋が何軒もあって、そこの店先で昆布を削る光景をよく目にした。削られた昆布はふわふわと舞う天女の羽衣のようだった。

よもや同じものが作れるとは思わないが、澪は記憶を辿《たど》りながら、昆布を酢で湿らせた。少し置いてから、包丁の刃を立てて削ってみる。上手くいかない。それでも幾度か繰り返すうち、ちぎれちぎれながら、何とか薄く削り出すことが出来た。

「こいつは何だい?」

蓋《ふた》を取って、弁当の匂《にお》いを嗅《か》いだ又次が首を傾《かし》げる。

「香りは昆布のようだが、俺の知らない物だ」

「おぼろ昆布です。そのまま召し上がっても良いのですが、お椀《わん》に入れてお醤油《しょうゆ》を少し差して、お湯を注げばちょっとしたお吸い物になるんです。上方のかたなら、きっと懐かしいかと思って」

澪が言うと、又次はありがとよ、と感謝の眼差《まなざ》しを向けた。弁当を風呂敷に包む又次の手もとを見ながら、種市は何気なく問うた。

「お前さんがそれほど尽くす相手だ、さぞかし良い女なんだろうな。何て花魁《おいらん》だい？」

その刹那《せつな》、上機嫌だったはずの又次の顔が一転、般若《はんにゃ》の形相となった。斬《き》りつける眼差しで種市を睨《にら》み、声を落とす。

「詮索《せんさく》は止《よ》しな、ろくなことは無ぇぜ」

刀の刃を思わせる鋭利な声音に、種市は縮み上がった。澪までも青ざめて震えている。それを見て、又次はしまった、と思ったのだろう。首を振り振り、済まねえ、と詫《わ》びた。

「勘忍してくんな。里での暮らしが長いと、つい荒っぽい物言いになっちまう」

前回よりも多い礼を床几に置くと、又次は、風呂敷に包んだ弁当箱を懐に抱くようにして、店を出た。見送り終えた澪は、床几の下に又次の手拭《てぬぐ》いが落ちているのに気付く。

慌てて拾い上げて、男を追い駆けた。

「ああ、こいつは済まなかった」

明神下まで駆け通して、やっと追い付いた澪に、又次は芯から済まなさそうに詫《わ》びた。

種市と酌み交わした酒で温まって、つい忘れたのだと言う。澪に提灯《ちょうちん》と風呂敷包みとを委《ゆだ》ね、手拭いで頬被《ほおかぶ》りをする。お蔭《かげ》で温かくなったぜ、と白い歯を見せる又次の表情からは、さきの般若の名残りは見られなかった。澪も、つい、口もとを綻《ほころ》ばせた。

又次は澪をじっと見つめ、少し躊躇《ためら》った顔をしたあと、思いきったように口を開いた。

「あんたには話しておこう。この弁当を届ける相手は翁屋のあさひ太夫さ。名前くらい聞いたことはあるだろ？」

あ、と澪は声を洩《も》らした。八朔《はっさく》の日に源斉から聞いた話を思い出したのだ。噂《うわさ》だけがひとり歩きして、実際にその姿を見た者はいない、という話を。戸惑ったように俯《うつむ》く澪に、又次は、苦く笑ってみせた。

「あさひ太夫なんざ翁屋がでっち上げた幻の花魁だ、なんて噂があるのは知っちゃあいるが、ひょっとしてあんたもそれを信じた口か」

まあ、どうでもいいけどよ、と投げやりに言うと又次は提灯と包みを受け取って、足早に帰って行った。

澪は暫《しばら》く明神下の通りに立ち、不忍池の方へ消えて行く提灯の火を見送った。

澪が太夫の存在を信じていない、と知った時の、又次の落胆した口調が妙に耳に残る。まるで内緒ごとを打ち明けるようにその名前を口にした男の表情を思い出して、澪は、あさひ太夫は本当に居るのかも知れない、否、居るに違いない、と思ったのだった。

事始めも終わり、小寒《しょうかん》に入った。

昼餉《ひるげ》時、つる家の長床几に隙間《すきま》なく客が座り、戸口では次の客が空きを待っている。そこへ、若い侍二人が乗り込んで来た。

「店主は居るか？」

居丈高な物言いに、何事かと澪が調理場から顔を覗《のぞ》かせた。澪より先に応えようとする種市を制して、芳が二人の前へ進み出た。優雅な所作で身を屈《かが》めてみせる。

「店主に代わり店を預かる者でおます。何ぞ御用でおますか?」

上方訛《なま》りと毅然《きぜん》とした芳の挨拶《あいさつ》に触れて、若い二人は戸惑ったように顔を見合わせた。うち一人が店内をぐるりと見回して、

「あえて名は伏せるが、当藩御留守居《おるすい》役がこの店の茶碗蒸しをご所望である。今、駕籠《かご》でお待ちなのだ。速やかに人払いをし、迎える準備を整えよ」

と、声を張った。途端、旨《うま》そうに茶碗蒸しを食べていた客の間に不穏な空気が流れる。

番付表に載ったことで、地位のある侍と思《おぼ》しき者もここを訪れるが、あくまでも目立たぬよう供も連れずに忍んで来る。周囲もそれと気付きつつ、互いに素知らぬ振りで長床几に並ぶことは趣向として面白がられた。それこそが江戸っ子の好む粋《いき》でもあった。それを、食べている最中に出て行け、と言われて面白かろうはずもない。

「お断りします」

調理場から飛び出した澪が、芳と侍の間に割り込んで、尖った声を上げた。珍しく眉《まゆ》が上がっている。

「何を」

「つる家の茶碗蒸しを、というお気持ちはありがたいです。けれど、今召し上がっていらっしゃるお客さんを追い出してまで、ということでしたらお断りします」

澪が生まれ育った大坂は、商人の町であって、武士の数が極端に少ない。そして商いの前でひとは押し並《な》べて平等だった。江戸に暮らして二年近く経《た》ってもそうした考えが抜けないせいか、侍に平気で口応えする澪に、種市の方が青くなった。

小娘にきっぱりと拒まれたことで、二人の侍はいきり立つ。

「町人の、それも女の分際で無礼千万」

あい済みません、と種市は二人の足元に身を投げ出した。

「この娘はまだ江戸へ出て来て間もないんでございますよ。堪忍してやっておくんなさい」

「いや、許さん」

一人が腰を屈め、種市の胸倉を摑《つか》んだ。

「武士を愚弄《ぐろう》するかの如《ごと》き物言い、許すわけにはいかん。今すぐここに店主を呼んで参れ」

種市を庇《かば》おうとする澪の前に、残る一人が立ちはだかる。

「番付表に載ったからと、つけ上がるのではない。例の店が神田に出張って来たからには、こんな店、早晩潰《つぶ》れるに決まっておるのだ」

例の店？　澪はその意味するところがわからず、二人の侍を交互に見た。

その時、いつの間に表に出たのか、芳が戸口から、申し、と二人に呼びかけた。

「御駕籠がお戻りだすで。ここに残らはってもよろしいのだすか」

なるほど、見れば塗りの駕籠が従者を引き連れてゆっくりと明神下の通りへと消えて行く。二人は慌てふためいて駕籠を追った。

「お騒がせいたしました。どうぞごゆっくりお召し上がりくださいませ」

ぽかんとしている澪と種市に代わって、芳が、床几を回って客に頭を下げた。侍の横暴に屈しなかった澪たちに、客の反応は温かい。一人が芳に、どんな手管で駕籠を追い返したか尋ねた。芳は、ほほほと手を口に当ててみせる。

「茶碗蒸しに入れる鰻《うなぎ》を背開きにするところ、うっかり上方流に腹から捌《さば》いてしまいました。お武家様にそんな縁起の悪い物をお出ししては大変――とまあ、そう申し上げたんでおます」

それを聞いて、客たちは一斉に匙《さじ》で器の中を探った。勿論《もちろん》、鰻など入っていない。

「はなから入ってねぇぜ。嘘つきな店だ」

「嘘やおまへん、方便だす」

打てば響くような芳の答えに、店内の客がわっと沸いた。

ああ、やっぱりご寮さんは違う。

正面切って相手に挑み、怒らせてしまう未熟な自分の対応に比して、ご寮さんの機知に富んだ客あしらいはどうだ。芳に称賛の眼差しを向けながら、澪はさきの侍の言葉がどうにも胸の奥に小骨のように刺さっているのを感じていた。


侍の話していた「例の店」の正体は、その日のうちに知れた。料理番付で最高位の料理屋、登龍楼が新しく店を出して、大々的な披露目をしているというのだ。場所は神田、須田町。神田川を挟んではいるが、ここからそう遠くない場所だった。

「何だってそんなところに」

客の噂をおりょうから耳打ちされて、澪は両の眉を下げた。気にすることたぁないよ、とおりょうは朗らかに笑う。

「あんな敷居の高い料理屋、そうそう行ける者は居ないって」

確かにそう、と澪は日本橋の本店を思い返してそう思った。

ところが、翌日からつる家を訪れる客ががたりと減ったのだ。一段と強い冷え込みに、客足の伸びを予想して材料を多めに仕込んだのが無駄になった。まあ、そんな日もある、と初めはさほど気に留めなかったが、日に日に床几に空きが目立つようになった。

「どうやら、登龍楼が新しく出した店に、客を取られちまったらしい」

噂を聞いて来た種市がそう言ってがっくりと肩を落とした。

「はてなの飯ん時と違って、今度はあの登龍楼が相手だ。偉いことになっちまった」

でも、と澪は今一つ危機感を抱けずに首を捻《ひね》った。登龍楼は一見《いちげん》の客も拒まない上に旅人の利用も多いが、主だった客筋は武家、それも諸大名の江戸御留守居役と聞いている。つる家とはそもそも客層が異なるのだ。珍しさで一度は足を運んでも、場違いな店で窮屈な思いをするだけだ。客はきっと、居心地の良いこちらの店に戻って来るはず、と澪はそう信じていた。しかし澪のそんな思い込みがあっさり覆されるまで、さほど時はかからなかった。

翌朝のことである。

おりょうが難しい顔でつる家にやって来た。

「うちの人が嫌なことを聞いて来たのさ」

須田町に出来た登龍楼の新店は、日本橋の本店とは違って、町人の利用を当て込んだものとのこと。値段もぐっと下げ、けれど味は落とさず、店内の装飾や使う器も、本店さながら豪華なものだという。

「おまけに厄介なのが」

おりょうは周囲を窺《うかが》うように声を落とす。

「どうやら茶碗蒸しを名物料理にしているらしいんだよ」

ええっ、と芳と澪とが同時に声を上げた。伊佐三の話によると、登龍楼の茶碗蒸しには海老《えび》の代わりに鮑《あわび》が使われており、小ぶりの茶碗に入って一人前が四十文とのこと。それがまた滅法旨いと評判なのだという。

「向こうの方が倍、高《たこ》うおますなあ。値ぇだけで言うたら、つる家の方が利用し易いのやおまへんか」

芳の意見に、澪もこくこくと頷いてみせた。鮑のような高価な食材は使えないものの、茶碗蒸しの味では負けない自信がある。客の心理としてなら、手頃な値段の方に軍配が上がるのではないか。しかし、種市とおりょうは気まずそうに顔を見合せている。

おりょうが、迷いながら口を開いた。

「あたしゃ一応、水道の水で産湯を使った者だから言うんだけどねぇ、江戸っ子は見栄《みえ》っ張りなのさ。本心じゃ安いのが有り難いけれど、人目があるなら高い方を選ぶ。食うや食わずは別として、ほどほどの貧乏人にはそれなりの見栄があるもんだよ」

その話に、今度は澪と芳とが顔を見合わせた。何事にも始末を身上とする大坂育ち。銭失いになるような安物には決して手を出さないが、長い目で見て「安上がり」な方を選ぶのが当然で、人目を気にして高い方を選ぶ、という感性は持ち合わせていない。上方だから、江戸だから、と人間の気質をひと括りには出来ないのだが、それにしても、江戸っ子というのは中々に厄介な。

同じことを思ったのか、澪と芳は、二人同時に重い吐息をついた。

明日は浅草観世音の年の市、という夜。客の途切れたつる家の暖簾を潜った男が居た。

「うぅ、今夜はまた一段と冷えるな、親父《おやじ》」

萎《しお》れたように床几に腰を下ろしていた種市は、男の顔を見た途端、弾《はじ》かれたように立ち上がった。

「こいつは驚いた。おーい、お澪坊、小松原さまだよぅ」

あとの台詞《せりふ》を調理場に向かって言うと、種市はさあさあ、と小松原を床几に案内して、すぐさま火鉢を脇に置いた。

「旦那、あっしは本当に、今度こそもうお見限りかと思いましたぜ」

「冗談だろ。俺はまだとろとろ茶碗蒸しとかいうのを食っちゃいないんだ。今夜はそれと、特別に熱いのを頼む。酒は出さないと聞いたが、まあ古馴染みだ、呑《の》ませてくれ」

種市が応えるより早く、調理場から顔を出した澪が、はい、と弾んだ声を上げた。

海老と銀杏と百合根《ゆりね》、という三種の具は変えていない。ただし、当初、翡翠《ひすい》色だった銀杏は、寒くなるにつれて黄色へと色みを変えていた。百合根は甘みを増している。そのひとつ、ひとつを匙で掬《すく》って口に運びながら、小松原は目を細め、うむうむ、と頷いてみせる。種市と澪は向かいの床几に並んで座り、男の手にした匙が茶碗と口とを行きつ戻りつするのを息を詰めて見守った。一度も匙を休めることなく食べきると、小松原は澪を見て、にやりと笑った。

「どうしようもないな」

澪の両の眉が下がるのを見て、意地の悪い中年男はこう言葉を続けた。

「どうしようもなく旨いじゃねぇか」

途端に澪が、唇をきゅっと引き結んで立ち上がった。まだたっぷりと酒の入っているちろりを取り上げると、調理場に駆け込む。

「おい、お澪坊、まだ随分残ってるだろ」

種市の声が追いかけて来るのへ、熱いのと取り換えますから、と声を張りながら、目尻に滲《にじ》んだ涙を指で拭う。

嬉《うれ》しかった。

先行きが見えなくなりそうな今だからこそ、澪は男の一言がありがたくてならない。

小松原が澪の料理を認めたのは、今日が初めてなのだ。料理の基本がなっていない、と斬り捨てられて三月余り。あの時は奈落の底へ突き落されたようにも感じたけれど、それを埋めて余りある今夜の褒め言葉だった。

「登龍楼が近くに出来たな」

　小松原が言い、

「へい、やられちまいました」

　種市が気落ちした声で応える。

　澪が熱いちろりを運んで床几に置くと、大丈夫なのか、と愉《たの》しそうな口調で問うて来た。

「小松原さま、やけに嬉しそうですね」

　わざと恨めしげに睨《にら》む澪に、小松原は、わかるか、とにやにや笑う。

「いきなり初星を取っちまったんだ、妬《ねた》み嫉《そね》みは買って当然。寄って集《たか》って引き摺《ず》り下ろそうとするのが人情ってもんさ」

「そういうのは人情って言いませんよ」

「ふふん、こんな店、登龍楼に叩《たた》き潰されちまえってんだ」

　二人の軽口の応酬に、段々、種市の顔色が悪くなってきた。

「いけねえ、いけねえ。俺は何だか寒気がして来ちまったよぅ」

　老人はよろよろと立ち上がり、澪に後を頼んで内所へと引き上げた。二人きりになるといきなり気まずくなって、澪はわざとそっぽを向く。小松原は、ぼそりと呟《つぶや》いた。

「親父のやつ、具合が悪そうだったな」

「叩き潰されちまえ、は言い過ぎです」

澪にぴしゃりと言われて、小松原は真顔になった。そんなに追い詰められているのか、と問われて、澪は頷き、客足の減り具合や登龍楼の値段のことなど、ひと通り話した。

「これが大坂なら、きっとつる家の方を支持してもらえると思うのです。けれど、どれほど頑張っても江戸の見栄っ張りには太刀打ち出来ません」

澪の話を聞き終えると、小松原は腕組みを解《ほど》いた。

「それは違う。そんな考え方だとお前は金輪際、登龍楼には勝てんぞ」

はっと目を見張る澪に、男はこう続けた。

「江戸で高級料理屋と呼ばれるところは、殆《ほとん》どが留守居役の接待を当て込んでの商いなのだ。贅沢三昧《ぜいたくざんまい》の上に支払いは全《すべ》て藩持ち。料理屋が肥え太るのにこれ以上の上客はないからな。しかし大坂はそうではないだろう」

「はい。私の以前の奉公先ではお客は殆どが商人でした。誰もが自分の懐を痛めるからこそ、味や店選びに厳しく、一切の妥協をしないのだ、と店主に教わりました」

「うむ、その通りだ。この江戸でも自腹で来る客を大事にする料理屋はきっと残るし、伸びて行く。そして登龍楼は、その道理に気付いた数少ない店だと俺は思う」

神田須田町に新しく出した店は、まさに自腹を切って食べに来てくれる庶民のためのもの。算段して値を下げ、「登龍楼」としての質の高い料理を提供する。その志は見事だ、と小松原は言うのである。

「ここの客の多くが登龍楼へ流れた原因は、見栄ではなく、張りだ」

「張り？」

「うむ。登龍楼は世に知られた名料理屋。一生縁のないと思っていたその料理が、他へ二度通う銭で味わえる。それなら登龍楼へ行こう、と思うのはごく自然なことだ。料理番付の最高位を取った店の料理を食べる、というのは庶民にとっちゃあ生きる張り合いなのさ」

澪は唇を噛《か》んで、黙り込む。小松原の言うのがいちいち尤《もっと》もだと思った。佇《たたず》まいの美しい空間、上等の器、そして何より美味しい料理。それらが、つる家に二回通うのを我慢するだけで手に入るのだ。

負けた、と澪は思った。完敗だ、と。

「登龍楼の店主、采女《うねめ》宗馬《そうま》は今は名字帯刀を許されているが、もとは煮売り屋だそうな。まあ、その人となりについちゃ色々聞いてはいるが、のし上がってもなお向上心を失わぬのは大したものよ」

だがな、と言葉を継いで、小松原はぬるくなった酒をぐいと呑み干した。

「実は俺も登龍楼の茶碗蒸しを食ったのだが、つる家の方が味が優しく、飽きが来ない。長く愛される料理とは、即《すなわ》ち飽きの来ないもの。まあ、待つことだ。味のわかる客はきっと戻って来る」

盆に銭を置くと、男はさっと立ち上がる。

――味のわかる客はきっと戻って来る
男の帰りを見送りながら、澪は胸の内で幾度もそう繰り返した。奇しくも以前、芳が言ったのと同じ台詞だった。

ならば待とう。

手を抜かない料理、変わらない優しい茶碗蒸しを用意して待っていよう、と澪はそう思った。

「澪、済まんのやけど今日、店を休ませてもらえへんやろか。おりょうさんと二人、浅草の方へ行ってみよか思て」

翌朝、芳からそう切り出されて、澪は箸《はし》を止めた。店を休んでまで何処《どこ》かへ、というのは芳らしくない、と思ったのだ。

「太一ちゃんは伊佐三さんが今朝、連れて出はったし、心配いらんのや」

芳は言い添えて、澪の返事を待っている。

「店の方は多分、旦那さんと私とで何とかなるとは思いますが」

言下に澪の疑念を感じたのだろう、芳は、汚れた器を手に土間へ降り、澪に背中を向けたまま言った。

「浅草寺の近くに、ええ按摩《あんま》さんが居ってやそうな。おりょうさんも私も働き詰めで肩が張ってしもて、揉《も》み療治でも受けよか思て」

芳が元気になったのを良いことに、ろくに休むことなく働いてもらっていた。ここへ来て急に客足が落ちたために、どっと疲れが出たのだろう。澪は申し訳なさが先に立って、両の眉を下げた。

「ご寮さん、今日は浅草の年の市ですから、おりょうさんと二人、ついでに少し骨休めしていらしてください」

澪の言葉に、芳はほっとした顔で振り返り、おおきに、と頭を下げた。

その日、浅草へ向かう人の群れで明神下の通りは大層な人出だった。店の表でそれを眺めながら、種市は深々と吐息をつく。

「言いたかないが、息抜きが要るのは一番にお澪坊じゃねぇか。ご寮さんもおりょうさんも、浅草へ行くんなら、どうしてお澪坊も一緒に、と言わないのかねえ。あんまり情無しなんで、俺はお澪坊が不憫《ふびん》でならねぇや」

「そんな。私につる家を任せてくださったのは旦那さんじゃないですか。今は店を閉めてまで何処かに行ってる場合じゃありませんよ」

蒸し上がった持ち帰り用の茶碗蒸しを運びながら、澪はさらりと言った。言いながら、一抹の寂しさが胸を過《よぎ》るのを打ち消せない。たとえ断るにせよ、芳から一言「澪も一緒に」と誘われたかったのだ。

あかん、あかん。

思わず胸の内で呟いて、頭を振った。

何を子供みたいに甘えたことを。

澪は気持ちを振り払うように、解いた襷《たすき》をぎゅっと締め直した。

昼餉時には、店で食べる客はまばらだったが、持ち帰りの茶碗蒸しが良く売れた。明日から店売りよりも持ち帰り分を少し増やそうか、と澪が調理場で思案していた時だ。

いきなり勝手口が乱暴に開けられ、髪を振り乱した大柄な女が飛び込んで来た。

「おりょうさん」

浅草に行ったはずでは、と澪が言い出すより早く、おりょうが澪の脚に取り縋《すが》った。

「堪忍しておくれ、澪ちゃん、ご寮さんが」

ご寮さん、と聞いて澪は咄嗟《とっさ》におりょうの両肩を摑んだ。

「ご寮さんの身に何かあったのですか」

「怪我《けが》をさせられちまったんだよ。何とか連れて帰って、源斉先生を呼んだのだけど、酷《ひど》い怪我みたいで」

聞くなり、澪は勝手口から飛び出した。浅草の年の市で、良くない連中に絡まれでもしたのだろうか。ついて行けば良かった、ついて行けば。勢いあまって前につんのめりそうになる。下駄が邪魔だ。澪は下駄を脱ぐと両手に持って、走りに走った。

「ご寮さん」

息せききって部屋へ駆け込むと、芳は布団に寝かされており、源斉が触診をしていた。

ご寮さん、と澪は泥まみれの足のまま畳に上がって芳の布団に縋った。

「澪、また心配かけてしもた。堪忍やで」

か細い声で芳は言い、すぐさま源斉に静かにするよう命じられた。顔を殴られでもしたのか、頬骨《ほおぼね》に大きな膏薬《こうやく》が貼《は》られている。源斉は、取り乱す澪に外へ出るよう促した。

「源斉先生、一体なにが」

「ご寮さんは登龍楼へ、茶碗蒸しの扱いを取り止めるように直談判に行かれたようです」

源斉の言葉に、澪は目を剝《む》いた。そこへ、おりょうが息絶え絶えになりながら、よろよろと戻って来た。

「源斉先生、それは少し違うんですよ。あたしらは登龍楼の新店に茶碗蒸しを食べに行っただけのはずが……」

登龍楼の茶碗蒸しを一口食べた途端、芳の顔色が変わった。合わせ出汁《だし》が用いられていたのだ。茶碗蒸しはもともと上方にある料理だから真似《まね》られても仕方ない。しかし、澪が苦心して考えた合わせ出汁をいとも簡単に真似されたことが芳には我慢ならなかったのだ。

　芳はおりょうの制止を振り切って板場へ行き、板長を猿真似呼ばわりしたところで、板場衆らに乱暴に叩き出されたのだという。

「ご寮さんが、そんな」

　常に沈着冷静な芳なのだ。思慮深く、頭の回転が速いからこそ、天満一兆庵のご寮さんが務まった。それなのに……。澪にはどうしても、芳が板場にねじ込んだ姿が想像出来なかった。

「あたしにはご寮さんの気持ちがわかるよ」

　おりょうは、中を気遣いながら声を低める。

「ご寮さんにとっちゃあ、澪ちゃん、あんたは奉公人でも同居人でもない、紛れもなく娘なのさ。血の繋《つな》がりはなくとも太一があたしの息子であるようにね」

　おりょうの言葉に、説明のつかない感情が胸を突きあげて、澪は両の手で口を覆った。

　おりょうはそんな澪の肩に手を置き、じっと顔を覗き込む。

「娘がそれこそ命がけで考えた味を、やすやすと盗まれたんだ。母親なら感情に飲み込まれて当然さ。ご寮さんの立場でなら堪《こら》えられても、母親の身になると許しておけなかったんだよ」

　双眸《そうぼう》が涙で潤み、堪えきれず澪は、おりょうの手から逃れて部屋へ駆け込んだ。

　横たわっている芳の弱々しい姿に、長く封印していた言葉が澪の口をついて出ようとする。だが掠《かす》れて声にならない。澪は芳の布団に縋り、掠れた喉を幾度も絞った。そして、ついにはっきりと叫んだ。

「お母はん」

お母はん、お母はん、と身を捩《よじ》りながら縋る娘を、芳は半身を起こして両手で抱き締めた。

慌てて止めに入ろうとした源斉を、おりょうが引き留める。少しの間このままで、と懇願の眼差しで伝えるおりょうに、源斉は仕方なく従った。

芳はその夜、高い熱を出した。

登龍楼の板場衆に叩き出される際に受けた暴力で、あばら骨が折れていたのだ。また、転倒した時に顔面を強打したため、顔半分が腫《は》れ上がっていた。澪は源斉の指示通りに薬湯を飲ませ、夜を徹して付き添った。

その苦しそうな寝顔を見ていると、登龍楼に対する憎しみが噴き出す。小松原は高く評価していたが、茶碗蒸しを真似る遣《や》りくちも、芳に対する暴力もおよそ料理人としての品位に欠けるものだ。

許せない。絶対に許すものか。

澪は、震える拳《こぶし》を握って、燃え立つ憎悪に耐える。明日、登龍楼に乗り込んで仕返しをしてやるのだ、と思った時。ふっと芳が目を覚まして澪を見た。

「ご寮さん」

澪がその顔を覗き込むと、芳が細い声で、それはあかん、と呟いた。

「何が、何が『あかん』のだすか」

「お前はんが今、思てることや」

声を出すと苦しいのだろう、胸を押さえながら芳は続けた。

「嘉兵衛が言うてたの覚えてるやろ。どない汚いことを仕掛けられても挑発には乗るな、料理人は料理で勝負せえて。澪は料理人や、私みたいなあほな真似はしたらあかん」

ほんまにあほな真似してしもた、と芳は呻《うめ》いて、胸を押さえた。おろおろとうろたえる澪を見て、芳は無理にも笑ってみせる。

「けど、向こうさんがこないな真似してくれたおかげで、私にははっきりとわかった。澪、いつか必ず、お前はんはあの登龍楼を料理で負かすやろ。あほな真似して自分の器量を落とすような真似はしたらあかん。人としての器量は落としたらあかんのやで」

ふいに脳裏を十一年前の夏の光景が過った。穴子寿司を盗もうとした澪を袋叩きにした料理人に、芳が放った台詞が耳に蘇る。

「――料理は、料理人の器量次第」

「せや。料理は料理人の器量次第や。この怪我は、登龍楼の店主のあずかり知らんこと。けれど、奉公人は主人に倣《なら》うもんなんや。弱い者は捻《ね》じ伏せ、どんな手ぇ使《つこ》ても勝つ。そういう考えは店主から受け継いだもんやろ。お前はんはそんな輩《やから》を相手にしたらあかん」

力が尽きたのだろう、あとの方を消え入るような声で呟くと、芳は小さく吐息をついた。眠りに引き込まれる寸前、芳は、かすかに澪の名を呼んだ。澪、澪、と。

澪は、寒くないように夜着の肩口をそっと押さえ、ご寮さん、と呼びかけようとして、止めた。

「ゆっくり休んでおくれやす、お母はん」

最後の呼び名を、聞こえるか聞こえないかの小さな声で囁《ささや》いた。芳の閉じた睫毛《まつげ》に涙が溜《た》まり、目尻から零れ落ちた。

「登龍楼の茶碗蒸しはもう充分食った。俺はやっぱりこっちの方が口に合うぜ」

そんなことを言って、つる家に戻って来る客がちらほら増えていた。澪も種市も少しだけ息がつけたと思いきや、今度は地廻《じまわ》りと思しき連中が店の前をうろつき始めたのだ。と言っても別にあからさまに脅してくるわけではなく、ただ、つる家に入る客の顔を舐《な》めるように眺めるだけなので、十手《じって》持ちに相談しても埒《らち》が明かなかった。

まず女性客が逃げて、持ち帰り用の茶碗蒸しはまた売れ残るようになった。年寄りや気の弱い客の足も遠のいた。もしや登龍楼の嫌がらせでは、との思いも胸を掠めた。だが、よもや一流の料理屋がそこまでするとは考えられなかった。

「表に妙なのが居たぜ」

今年も残り十日ほどになった夜、暖簾を潜るなり、又次がそう言った。暗い顔をした澪と種市からあらましの事情を聞くと、又次は、

「なら安心しな。二度と悪さをしねぇように、今、軽く締めといたからな」

と笑った。種市がありがてぇと手を合わせる。しかし、それが却って徒《あだ》となったことを、二人は翌日、思い知らされるのだ。

その夜。

暖簾を終《しま》った後、澪は暫く調理場に留まって、明日使う銀杏の下拵《したごしら》えをしていた。固い殻を割り、取り出した中身を茹《ゆ》でて薄皮を外す。又次の脅しが効いて地廻りたちの姿のないことにほっとしつつ、このまま消えてくれれば良いが、と考えていた時だ。

ぱしゃん、と表で水か何かをかける音がしたように思い、耳をそばだてる。外は弱い雨が降り始めており、それだったのか、と澪はまた銀杏に向かった。ほどなく、何か焦げる匂いがして、澪は慌てて調理場から中を覗いた。

「ああ」

澪の口を突いて悲鳴が上がる。めらめらと炎が格子を焼き落とし、内壁を舐め、こちらへと迫っていた。腰が抜けそうになるのを何とか堪えたのは、二階の種市の身を思ったが故だった。

「旦那さん、旦那さん、火事です」

階段を駆け上がり種市を揺り起こすと、澪は再び階段を駆け下りて桶《おけ》に水を汲《く》み、炎に向かって浴びせた。だが僅《わず》かに炎を揺らしただけだ。

「誰か！　火事です！　火事！」

澪は勝手口を開け、闇《やみ》に向かって大声で叫んだ。

「何てこった、一体なんで」

転げ落ちるように階下へ降りた種市も、必死で水瓶《みずがめ》の水を汲み出して炎にかけるのだが、火は勢いを弱める気配も見せない。

周囲が騒がしくなり、火事だ、火事だ、という声が飛び交っている。勝手口から近隣の若い衆らが飛び込んで来た。手に手に水桶を持っている。

「ここは任せて、あんたは爺《じい》さんを連れて逃げるんだ」

でも、と躊躇《ちゅうちょ》する澪を叱《しか》りつけて、男は種市と澪を外へ押し出した。何とか帳場の銭箱だけでも、と戻ってそれを胸に抱き、再び外へ逃げる。振り返ると、暗い空に橙《だいだい》色の火の粉がぱちぱちと弾けている。種市が地面に崩れ落ち、両の手を天に差し伸べて絶叫した。

「俺の店が、俺とおつるの店が燃えちまう」

雨足が徐々に強くなり、人々の消火に加勢し出したのがせめてもの救いとなった。結局、火はつる家をおおかた焼き、両隣りに燃え移る前に何とか消し止められた。

商い道具や家財道具など殆どが灰になり、まだ焦げ臭い匂いの残る焼け跡で、種市は腑《ふ》抜《ぬ》けのように座り込み、暗い夜明け前の空を仰いでいた。雨はまだ降り続いている。天満一兆庵に続いてつる家まで……。呆然《ぼうぜん》と雨に濡《ぬ》れたまま、銭箱を抱えて立ち竦《すく》む澪に、声をかける者があった。

「大丈夫か」

おりょうの亭主の伊佐三が、澪に傘を差しかけていた。澪が種市の方へ虚ろな視線を向けると、伊佐三は、わかったとばかりに頷いて傘を澪に託した。厚い布子を脱いで種市に着せかける。

「もっと早く来てやりたかったんだが、太一が怯《おび》えて放しやがらねぇ。済まなかったな」

伊佐三は、木偶《でく》人形のような種市を背中に軽々と負って立ち上がった。

「付け火は気の毒とは思うが、こっちだって巻き添えを食うところだったんだ」

種市に代わって詫びて回る澪を、両隣りの住人は悪しざまに罵《のの》しる。澪はひたすら頭を下げるしかなかった。残骸《ざんがい》を黙々と片付けて、見苦しくないように整えるのは骨が折れた。

自身番に呼ばれて火付けの心当たりを幾度も問われたが、答えることが出来なかった。これまでの経緯から登龍楼の名が真っ先に頭に浮かんだ澪だが、仮にも同じ料理の道を行く者がそこまで卑劣なことをするだろうか、との思いがあった。それに何より、火を付けた相手に対して、怒りよりも恐怖の方が勝った。これ以上、何かをされることが恐ろしい。登龍楼だろうが何だろうが、もう係わり合いになりたくなかった。

差配の好意で、種市は澪と同じ裏店《うらだな》の一室に入ることが出来たが、殆ど口も利かず、物も食べない。おりょうが損料屋で調達して来た布団に横になったまま、起きて来る気配もなかった。それでも澪は行平鍋に粥《かゆ》を炊き、茶碗と散蓮華《ちりれんげ》を添えて種市の枕もとに運ぶ。

「旦那さん、少しでも召し上がってください」

「今は食いたかねぇんだ。済まねぇがそこへ置いといてくれないか、おつる」

澪はどきりとして種市を見た。夜着に顎《あご》を埋《うず》めたまま、種市は澪を見返して弱々しく笑っている。

大丈夫、言い間違えただけだ。

澪は自分にそう言い聞かせる。だが、そんな澪に、種市は掠れた声で言い添えた。

「おつる、俺は少し寝かしてもらうぜ」

その声に澪は胸が潰れそうになる。手を差し伸べて夜着の肩口を押さえると、澪はそっと外へ出た。そして表へ出るなり、膝《ひざ》を抱えて蹲《うずくま》り、声を殺して泣いた。

つる家は、その名の通り、種市にとっては亡くなった愛娘《まなむすめ》おつるの大切な家だった。それが焼けてしまったのだ、種市の絶望は察して余りある。

いきなり初星を取っちまったんだ、妬み嫉みは買って当然――そう言っていた小松原の声が蘇る。茶碗蒸しなど売り出さねば良かった。澪は申し訳なさに身を震わせて泣いた。

「澪、つる家の旦那さんの具合はどうや」

部屋へ戻ると、芳が布団から辛《つら》そうに上体を起こして問うた。折れたあばら骨の具合は思わしくなく、顔の腫れも引いていない。そんな芳にこれ以上心配をかけたくなかった。

良く眠っておいででした、と優しく言って、芳を布団に戻す。

「目ぇが赤い」

芳は、澪の頬に手を伸ばして気遣った。

「やっぱり何ぞあったんやなあ」

何もおまへん、と囁いて、澪は芳の熱い手を取ると、そっと夜着の中へ入れた。源斉の処方してくれた薬が効いて来たのか、芳はすっと眠りに落ちた。その寝顔をじっと眺めながら、澪は思う。

嘉兵衛の遺志を継ぎ、この江戸で天満一兆庵の暖簾を再び掲げようと思ったことが、そもそもの間違いだった。その器もない上、あまりに恐いもの知らずだった。それがため、大切なひとたちを身の危険に晒《さら》させたのだ。

もう良い。もう諦《あきら》めれば良い。

そうだ、芳が以前そうしたように、差配に頼んで仕立物の仕事を回してもらおう。芳と二人、仕立物を沢山こなせばぎりぎり暮らして行けるくらいの身入りにはなるだろう。そうやって慎ましく生きて行こう。
――無念や、無念でならん
澪の耳に、嘉兵衛の掠れた声が蘇る。
――澪、託せるのはお前はんだけや。何としても天満一兆庵の暖簾を、この江戸に
旦那《だん》さん、勘忍しておくれやす、と胸の内で繰り返しながら、澪は両の耳を押さえた。

甘酒の香りが漂っている。

珍しいことに米麹《こうじ》ではなく酒粕《さけかす》を使った甘酒の香りだ。その独特で芳醇《ほうじゅん》な香りは、澪を妙に切なくさせた。ここ八ツ小路《やこうじ》は、筋違御門《すじかいごもん》内側に設けられた火除御用地《ひよけごようち》で、八つの方向に道が抜けていることから、その名で呼ばれていた。広場には、通行人を当て込んだ掛け茶屋や屋台見世《みせ》が立ち並んでおり、湯気の立つ温かい物が人気を集めていた。久々に嗅いだ酒粕の匂いに、澪は故郷の粕汁を懐かしく思い出す。

この時期、大坂では酒粕と味噌《みそ》とを合わせた、粕汁という汁物がよく好まれた。大根や人参《にんじん》、油揚げに蒟蒻《こんにゃく》などの具がたっぷり入るから腹持ちも良い上に、酒粕が効いて寒い日もぽかぽかと身体が温まり、いつまでも冷めない。だが、江戸では見かけたことがなかった。

今、あれを口にすることが出来たなら、どれほど慰められることだろう。そんな思いが

胸を過り、ふうっと吐息をつく。

澪は疲れていた。疲れきっていた。

源斉の見立てでは、種市の症状は付け火に遭ったことによる一時的なもののことだったが、澪は種市に「おつる」と呼ばれる度に身を斬られる思いだった。

差配を頼って仕立物の口を探してもらっているが未《いま》だ返事は無く、暮らしの目処《めど》も立っていない。無事に年を越せるかどうかもわからないのだ。口入屋に寄った後、あてどなく八ッ小路を歩き、気付くと澪は、神田須田町の登龍楼の新店《しんだな》の手前に佇んでいた。

「旦那さま、お気を付けて」

龍を染め抜いた柿渋《かきしぶ》色の長暖簾を手代らしい男がめくり上げて、五十過ぎの痘痕《あばた》顔の男を送り出すところだった。

黒羽二重《はぶたえ》の袷羽織《あわせばお》りはいかにも質の良い品で、貧弱な体軀《たいく》をゆったりと大きく見せている。痘痕の中に刀をすっと横に滑らせたような細い眼《め》があった。

「では、あとは頼みましたよ。何かあれば日本橋の方へ使いを寄越《よこ》しなさい」

見送りに出た男たちは、痘痕男の甲高い声に、一斉に頭を下げる。

あれが小松原の話していた采女宗馬だ。

そうに違いない、と思った途端、足が竦んで動けない。そんな澪の前を横切って、ひとりの願人坊主《がんにんぼうず》が、踊りながら登龍楼へと向かった。この寒空に筵《むしろ》を身体に巻きつけただけの形をした物乞《ものご》いだった。怪しい振り付けで踊りながら、しゃがれた声を節に乗せる。

「お店も繁盛めでたやな。旦那も吉祥めでたやな。もうじき年越しめでたやな」

採女宗馬と思しき男が、細く鋭い目を物乞いに向けた。ほんの一瞬ではあったが、ぞっとするほど冷酷な目つきだった。

「旦那様のお目汚しだ、他所《よそ》へ行け、他所へ」

店の者が願人坊主を邪険に追い払おうとした時。采女はいかにも善良な笑みを満面に湛《たた》え、懐から銭入れを取り出すと、幾ばくかの銭をその物乞いに与えたのだ。

「あれが登龍楼の旦那か。慈悲深いことだ」

「さすが料理番付の大関だけのことはある」

足を止めて成り行きを見守っていた者たちの間に、称賛の声が広がる。

澪は足早にその場を離れた。胸がむかむかとして吐きそうだった。あからさまに施しをする様が澪の目には如何《いか》にもわざとらしく映り、それが逆に采女宗馬という男の器量の狭さを思わせた。あの男ならば、断りなしに茶碗蒸しを真似ることも平気だろう。

付け火は雨の中だった。火が他へ移らないことを見越しての仕業は、つる家だけを狙《ねら》ったもの。その遣りくちの巧妙さと今の施しとが、澪の胸の中で妙に重なった。

けれど、もうどうでも良いことなのだ。

料理の道を手放したからには、もう采女を恐れる必要もない。澪は幾度も自分に言い聞かせて、忙《せわ》しない足取りで金沢町を目指した。

裏店の路地に入ると、向かいの住まいの入口に板戸が立て掛けてあって、そこに見覚えのある伊佐三の着物が洗い張りされていた。その陰に隠れるように、太一がひとり蹲って地面に絵を描いている。おりょうから熱を出したと聞いていたが、久しぶりに元気そうな姿を見て、澪は明るくその名を呼んだ。

「太一ちゃん」

しかし、太一は澪を見ると、顔を引きつらせて家の中へ逃げてしまった。不思議に思って室内を覗くと、太一は、夕餉《ゆうげ》の仕度をしているおりょうの、幅の広い背中に抱きついて震えている。

「赤ん坊に返っちまったみたいでね」

おりょうが澪に気付いて、困ったように笑ってみせた。太一が、おりょうの背後からそっと澪を覗き見る。その目が激しく怯えていることに、澪は少なからず衝撃を受けた。

澪は挨拶もそこそこに、その前を離れる。

「父ちゃんも母ちゃんも、太一を置いて何処へも行かないから安心しな」

太一に言い聞かせているおりょうの優しい声が聞こえた。

澪はふと、着物の袖《そで》の匂いを嗅いだ。自分では気付かなかったが、焼け焦げた臭《にお》いがつんと鼻を突いた。長く焼け跡に佇んでいたせいか、物の焦げる臭いを着物の生地が吸い込んだまま、抜けていなかったのだった。あの火事の夜に駆けつけてくれた伊佐三にも、同じ臭いが染み付いていたはずだ。

可哀そうに、と澪は部屋を振り返って呟いた。太一に、両親を失った火事の記憶を呼び起こさせてしまったのだ。おりょうと伊佐三とが根気よく太一の言葉を取り戻すよう接しているのに、もしかしたら振り出しに戻してしまったかも知れない。

太一ちゃん、勘忍して。

澪は、胸の内に呟いて、そっと頭を下げた。

ほんのひと月前は、何もかもが希望に満ち溢《あふ》れ、輝いて見えたのに、今は一筋の光も見えない。やはり自分はそうした運命にあるのだろう、と澪は暗い目で空を仰いだ。

その夜のことだ。

五つ（午後八時）の鐘を聞いた後で、裏店の薄い板戸を叩く者があった。

「夜分に済まない。又次だが」

思いがけない訪問者に、澪は慌てて身を起こした。芳の様子を伺ったが、寝息が乱れてはいない。薬が効いているのだろう。

「はい、すぐに」

澪はそう返答して、手探りで身仕度を整えると行灯《あんどん》に火を入れて、戸を開けた。

「休んでいたのか。悪かった」

招き入れられて、又次は頭を下げる。火事見舞いの口上のあと、

「ここまで押しかけて申し訳ねえが、また弁当を頼まれてやっちゃあもらえまいか」

と、上り口に腰を掛け、懐からいつもの風呂敷包みを取り出して脇へ置いた。

断わろうとして、澪は思い留まる。もう二度とこの弁当箱に料理を詰めることもなくなるのだ。だったら、又次の言うあさひ太夫へ、せめてもの感謝のしるしに何かを詰めて、それを気持ちの区切りとしたくなった。

澪は流しと棚とに視線を廻らして、肩を落とす。御櫃《おひつ》に明日の雑炊用の冷や飯が少し残っているだけで、他にろくな食材がなかった。

「無理を聞いてもらったんだ、冷飯を握るだけで構わねえ。あとはそうだな、昆布が良い。いつぞやのおぼろ昆布。あれを太夫は大層気に入って、そりゃあ喜んでいたんだぜ」

油代を惜しんで早寝する暮らしぶりから、澪の台所事情も察したのだろう。又次はさり気なくそう声をかけた。幸い、昆布だけは棚の隅に残っている。澪は、流しに置いた桶で手を洗いながら、又次に頷いてみせた。

「少しお待ちください」

冷や飯を手早く俵型に結び、昆布は酢で湿して包丁で掻《か》く。最後の料理がこれかと思うと何とも切ない。だがその分、澪は心を込めて昆布を削った。

弁当箱に詰めようと、風呂敷包みを解く。

「あら」

蓋を開いた途端、思わず声が出た。弁当箱の中から江戸紫の縮緬《ちりめん》生地が覗いた。袱紗《ふくさ》のようだった。又次は、と見ると、不自然に澪から視線を外している。

何だろう。

澪は袱紗を手に取り、首を傾げながら開く。

開いた瞬間、声にならない息が口から洩れた。柔らかな袷縮緬の中に、小判が重なって十枚。暗色の室内、薄暗い行灯の光を集めて、そこだけが強烈な色を放っていた。

澪は、わなわなと震える手で袱紗を又次に示す。

「又次さん、こ、これは」

「中に文が入ってるだろ」

ぶっきらぼうに言われて、澪は、板敷に置いた弁当箱に目を向けた。確かに、底に折り畳んだ紙が入っている。

わななく手で何とか袱紗を弁当箱の脇へ置くと、澪はおどおどと、その文を取り出した。腕の震えがどうしても止められない。折り畳まれた三椏紙《みつまたがみ》を、難儀しながら開いた。艶《つや》やかな紙の中央に、美しい筆跡で綴《つづ》られた文字を目にした刹那、澪は心の臓をぎゅっと摑まれたようになった。目の前がふっと暗くなり、慌てて流しに手をついて堪える。

文に記されていたのは、たった四文字。

雲外蒼天《うんがいそうてん》、という言葉のみであった。

息をするのも忘れて、澪は必死で考える。もしや、又次にその話をしたことがあったのか。又次が種市からそれを聞いたことがあったのか。いずれも思い当たらない。話した記憶があるのは、新町の足洗いの井戸の思い出話だけだ。そう、澪が幼馴染みと二人、井戸に下駄を落としたという話だけ。

それなら、これは一体どういうことなのか。澪は立っていられず、流しに縋ったままその場に蹲る。

上方生まれの太夫。

類《たぐい》まれな美貌《びぼう》の持ち主。

新町廓で澪の身に起きたことを知っているひと。

その時、澪の耳に懐かしい声が蘇った。

――澪ちゃん、私は澪ちゃんが言われた『雲外蒼天』の方が良い。そっちの方がずっと良い
野江ちゃん。

野江ちゃんや。

あさひ太夫の正体に思い至った澪は、咄嗟に唇を両手で覆った。そうしなければ、湧《わ》き上がった激情が、口を突いて溢れ出てしまいそうだった。

澪の脳裏に、あの日の野江の姿が走馬灯のように巡る。女衆《おなごし》の仕打ちに激怒した野江。井戸に下駄を投げ込んだ野江。澪の顔を覗きながら、笑ってみせた野江。

あの夏に別れたきりだが、きっと幸福でいてくれているものと信じていたのだ。よもやこんな形で無事を知ることになろうとは。

「あさひ太夫に」

澪は、そのまま又次の膝に取り縋って、声を絞った。

「あさひ太夫に会わせて。会わせてください」

「そいつは無理だ」

男は、自分の膝から娘の手を外すと、きっぱりと首を横に振った。

「あんたも吉原がどんなところかくらい、知ってるだろう。花魁《おいらん》は籠《かご》の鳥。どこぞのお大尽に身請けされるか、年季明けまで待つか。あるいは、あんた自身が同じ廓へ身を売るか。そうでもしなけりゃ、会うことなんざ叶《かな》わねぇよ」

男の言葉に、澪は顔を覆って泣いた。野江が吉原に居る、という事実は澪には耐えがたいものだった。又次は、そんな澪を暫く黙って見ていたが、すっと手を伸ばすと娘の頤《おとがい》を摑んでその顔を上げさせた。

「太夫を憐《あわ》れんで泣いているのなら、止してもらおう。それより、太夫がどんな思いで十両てえ大金をあんたに託したか、そいつを考えちゃくれまいか」

澪は瞳《ひとみ》を大きく見張って又次を見る。

男は、澪の頤を放すと、身を乗り出してその瞳を覗きこんだ。

「俺はあんたと太夫の間にどんな仔細《しさい》があるのか知っちゃいない。ただ、太夫にこう頼まれたんだ。もしあんたに料理を作る気力も失せているなら、そのまま黙って帰って来いと」

けれど、もしもこの弁当箱に詰める料理を作ったのなら、あの子はきっと立ち直る。その時には、この十両を用立ててほしい。太夫は、そう語ったのだという。

澪は、溢れた涙を手の甲で拭いながら、野江ちゃんらしい、と思った。

料理を手放した澪に十両与えるのでは、「施し」になってしまう。施しではなく、商いに用立ててほしいがための十両なのだ。

手の中に握り締めていた文を広げる。

雲外蒼天。

そうだ、長く忘れていたが、易者の水原東西は、澪に艱難辛苦が降り注ぐ、と予言した後、確かにこう言葉を続けたのだ。

——けんど、その苦労に耐えて精進を重ねれば、必ずや真っ青な空を望むことが出来る。

他の誰も拝めんほど澄んだ綺麗《きれい》な空を。ええか、よう覚えときや
長い間、垂れこめた雲ばかりに気を取られて来た。その上に広がる青い空を忘れてしま
っていたのだ。

見てやろう。どうあっても、青い空を。

澪は折っていた膝を伸ばして、ゆっくりと立ち上がった。もうその瞳に涙はなかった。

弁当箱を取り上げて、布巾《ふきん》で中を拭うと、握り飯とおぼろ昆布とを詰める。風呂敷に弁当箱を包み、それを又次に差し出した。

「野江ちゃんに……あさひ太夫にお伝えください。そのお気持ち、決して無駄にしません、と。頂いた文を胸に刻んで精進します、と」

「ああ、必ずそう伝えるぜ」

又次が心底嬉しそうな顔になった。そして、風呂敷包みを受け取ると、芳を気遣いながら、戸口を開けて表へ出た。

「明後日《あさって》は大晦日《おおみそか》か。一年は早ぇなあ」

ぼそりと呟くと、澪を振り返り、良い年を迎えてくんな、と言い置いて帰って行った。

十両という大金を又次に託したことから、野江が又次に厚い信頼を寄せているのがわかる。澪は路地を出て、翁屋の提灯《ちょうちん》を見送りながら、男の背中にそっと手を合わせていた。

「何だって、屋台だ？」

言うなり、伊佐三は目を剝いてみせた。

夜が明けるなり、澪は向かいの伊佐三を表に引っ張り出して、相談事を持ちかけたのだ。

「ええ。つる家のあった場所で屋台をやろうと思うんです。八ツ小路にあるような屋台見世を。つる家の旦那さんに相談出来れば良いのですが、そうもいかなくて……」

澪は、家の中の太一を気にしながら、小さな声になった。太一はあれから澪の姿を見ると怯えて逃げてしまうのだ。

「あんな恐ろしい目に遭ったのに、懲りて無ぇとは。澪ちゃん、そりゃ無茶ってもんだ」

「いえ、だから逆に都合が良いんです」

渋る伊佐三に、澪は必死で縋る。

「付け火は重罪、見つかれば火あぶりと聞いています。相手も捕まりたくないでしょうし、あの場所には暫く足を向けないでしょう。だからこそ、今は安全だと思うんです」

なるほど、と伊佐三は少なからず感心したように唸った。

「そいつは確かに道理だな。しかし両隣りが良い顔はしないだろう。嫌な思いもするだろうが、大丈夫か」

無論、それは覚悟の上だった。

澪の決意が固いことを知ると、伊佐三は、

「よし、わかった。そういうことなら、この俺が今日中に拵《こしら》えてやるよ」

と、ぽんと厚い胸板を叩いてみせた。

澪ちゃん、と戸口からおりょうが顔を出す。

「もし出かけるんなら、ご寮さんとつる家の旦那さんのことは遠慮しないで任せとくれ」

済みません、お願いします、と澪はおりょうと伊佐三に頭を下げた。

狭い路地に掛け取りたちが姿を現し、それぞれの家の戸を叩き始めた。年末らしい慌ただしい一日が始まろうとしていた。

日本橋伊勢町、大坂屋。

あらかたの奉公人らが掛け取りに出払ったところへ、澪が顔を出すと、顔馴染みの手代が飛んで来た。

「つる家さん、えらい災難だしたなあ。まあ、事情が事情やさかい、少し待たしてもらおか、とも思たんだすが、その、明日にでも……」

「いえ、今日、お支払いに伺いました」

澪が言うと、手代は目を見張った。店の奥で支払いを終えると、茶が振る舞われた。

「さいだすか、粕汁を」

手代は感心したように声を洩らす。

「ええとこに目ぇ付けはりました。つる家さんの粕汁なら、きっと美味しおますやろ。私らには何よりも懐かしい。この江戸に居る上方生まれは何をおいても駆けつけますやろ」

「江戸では酒粕をあまり見かけないように思いますが」

澪が両の眉を下げて言うと、手代は、いえいえ、と手を振ってみせた。

「酒屋の前に『手握り酒』と書いてありましたら、それが酒粕のことだす。しかしまあ、こちらで酒粕いうたら、酢ぅの原料で知られてるくらいで、料理に使うとはあまり聞きまへんな」

えっ、と澪は目を見張る。酒粕で酢が作られるとは初耳だったのだ。手代の言うには、赤みを帯びた酢で、ここ最近、ことに鮨《すし》屋の間で人気を博しているのだとか。

「けど、酒粕いうたら、やはり粕汁が美味しおますなあ」

何でしたら酒粕を扱うてる酒屋を紹介しまひょか、との手代の申し出を、澪は感謝して受ける。ここを訪ねた目的は無事に果たせた、とそっと胸を撫《な》で下ろす澪だった。

今日を入れて、残りは二日。

年が明ければ、神田明神へ初詣《はつもうで》客が押し掛ける。御台所町も大層な人出になるだろう。何とか元日には屋台見世を開きたい。

大坂屋から紹介された酒屋は、同じ日本橋にあり、「こんなに沢山の酒粕、一体何に使うんですか」と訝《いぶか》りながらも、新酒の酒粕をとびきり安く分けてくれた。

次いで食材を探して回る。すでに年内の商いを終えた店が殆どで、棒手振《ぼてふ》りも見当たらない。難儀しながらも、荒巻きと呼ばれる塩漬けの鮭《さけ》を解体して売っている行商を見つけた。鮭は「年取り魚」と言って、江戸の正月には欠かせないのだ。

青物は多めに欲しい。思いきって、つる家に出汁《だし》がらを買いに来ていた百姓家を探して、浅草の奥まで足を伸ばした。付け火に遭ったことを話すと、大層気の毒がられ、大根に人参、それに根深《ねぶか》をどっさりと分けてもらうことが出来た。あとは明日のことにして、綿のように疲れた身体を引きずって帰路に着く。

裏店に辿りついた時には、すでに陽《ひ》は落ち、周囲は薄闇に包まれていた。

「あ、澪ちゃん。お帰り」

丁度、種市の部屋から出て来たおりょうが、澪を見つけて走り寄る。

「ご寮さんもこっちも変わりないよ。それとうちのひとが、頼まれていた仕事を仕上げた、と言っていたから」

「済みません、本当に助かります」

頭を下げる澪に、おりょうは、種市の部屋を振り向いてみせながら、声を低くした。

「つる家の旦那さん、まだよくわかってないようなのさ。今日もずっと『おつるは何処だ』『おつるは何処へ行った』とそればかり」

澪は辛うじて、そうですか、とだけ言って、しょんぼりと肩を落とす。

部屋に戻り、荷物を土間に置いて、芳に声をかけると、そのまま種市の部屋へ様子を見に行った。澪の居ない間に源斉が往診に来たらしく、薬袋が枕もとに置いてあった。

「おつる」

顔を覗き込んでいる澪に気付くと、種市は、ほっとしたように亡き愛娘の名前を呼んだ。

「黙って出て行っちゃ駄目じゃねぇか。俺はまたお前が勾引《かどわか》しに遭ったんじゃないかと気が気じゃなかったんだぜ」

澪は小さな声で、ごめんなさい、と詫びて、薬袋を手に取った。

「お薬を煎《せん》じてきますね」

「ああ、済まねぇな。俺はもうひと寝入りするから、後で起こしてくんな」

言い終わるや、種市はまた目を閉じてうとうとと眠り始めた。澪は老人を起こさぬように、そっと外へ出る。

種市の口から洩れた勾引し、という言葉が胸に引っ掛かる。そう言えば、おつるの亡くなった原因は聞いたことがなかった。

種市の人生には辛いことが重なり過ぎていたのかも知れない。そこへ来て気持ちの拠《よ》り所だったつる家を失ったのだとしたら。澪は背後の部屋を振り返って、ともかく一日も早く何とかせねば、と思った。

七輪にかかった鍋《なべ》の出汁の中に、根菜類が煮えている。それを気にしながら、澪は擂《す》り鉢に酒粕を入れ、出汁を少し足して丁寧に擂《す》る。深夜、他に音の無い部屋に、擂粉木《すりこぎ》のごりごりいう音が響いた。

「ええ香りや」

ほのかに酒の匂いが漂い、芳が起き出して、澪の手元を覗きに来た。

「粕汁か、澪」

芳が懐かしそうに声を上げる。

はい、と澪は頷いて、油断すると濡れ布巾からずれてしまう擂り鉢に難儀しながら、酒粕を擂り続ける。芳が手を伸ばして鉢を押さえてくれた。

「粕汁を屋台見世で売ろう、と思います」

「屋台見世？」

「はい。伊佐三さんにお願いして、作って頂きました。元日から始めるつもりです」

少し間を置いて、芳が、ほうか、と呟いた。澪は、口を開きかけては止め、言いかけては留まりを幾度も繰り返したあと、手を止めて芳を見た。

「また誰かに何かを仕掛けられるかも知れません。何者かに嫌がらせをされて、大事なひとたちを危ない目に遭わせてしまうかも知れない」

澪は芳の頬に目を留めた。腫れは引いたものの、打ち据えた痕《あと》がどす黒く変色している。折れたあばら骨もきっと痛んでいるに違いないのだ。唇を引き結んで感情に耐え、澪は勇気を振り絞った。

「それでもやりとおます。やらしてください」

お願いします、と澪は芳に頭を下げた。

芳は手を伸ばし、澪の手から擂粉木を取る。そして、黙ったまま酒粕を擂り潰し始めた。

酒粕は鉢の中で徐々に滑らかになっていく。

「油揚げと蒟蒻はどないするのや？」

「明日、探して回ろうと思います」

「魚は？　大坂では鰤《ぶり》を使《つこ》うたけど、ここでは手に入らへんのと違うやろか」

思案顔の芳に、澪は、

「これを使おうと思います」

と、鮭の切り身を示す。さっと湯を通したものだ。

正月に食べるめでたい魚は、上方では鰤であった。暮れに買ってきた塩鰤を天井からぶら下げて、元日から少しずつ身を削いで食す。最後に残ったあらで出汁を取って粕汁を作り、それが奉公人にも振る舞われる。この鰤に匹敵するのが、江戸では鮭。だからこそ、澪は、鰤の代わりに鮭を使おうと思ったのだ。

「葱《ねぎ》も葉葱ではなく、こちらの根深、それに味噌もこちらのものを合わせて使います」

澪の言葉に、芳は目を細める。

鍋に鮭を加え、とろりとした酒粕を入れた。味噌と酒、それに少量の醤油で、味を調える。出来上がったものを二つの椀に装った。ひとつを芳に差し出す。

ひと口啜ると、芳は、ああ、と声を洩らした。次いで大根を口にすると、そっと目を閉じた。どきどきしながら、澪も箸を取る。

大坂で食べ慣れた味とは確かに違うが、酒粕の旨みが舌を魅了する。出汁と味噌の塩梅《あんばい》も良かった。ここに蒟蒻と油揚げの刻んだものが入れば、一層、味わいが増すだろう。

「澪、頼みがあります」

椀を置くと、芳は澪に向き直った。

「元日からの商い、私にも手伝わしておくれやす」

そう言って畳に手をつき、頭を下げる芳に、おろおろと澪はうろたえる。

「ご寮さん、何を」

「お前はんが焼かれた場所に戻って屋台見世を開くのなら、私はこの怪我した身体で手伝いまひょ。そうすることで、向こうはんに卑怯《ひきょう》な手ぇには屈せへん、と伝わりますやろ」

それと、と芳は顔を上げて澪を見つめ、きっぱりと言った。

「危ない目ぇに遭うのを恐れて真っ当な商いを止めるようでは、商人としては失格だす」

翌、大晦日。

朝一番に種市の様子を見に行くと、目覚めてはいるのに、澪に背中を向けて何も言わずじまいだった。気になりながらも、あとをおりょうに頼むと、澪はつる家の焼け跡に様子を見に行った。木の香漂う真新しい屋台がそこに据えてあった。間口六尺（約一八〇センチ）、奥行き三尺（約九〇センチ）。屋根の下に軒と、前面に器を置く棚が張り出している。使い勝手も良さそうだ。伊佐三の心のこもった仕事ぶりに勇気を得た澪は、両隣りの家へ挨拶に行った。

「一体、どういうつもりだ」

開口一番、派手に怒鳴られたが、澪が懐紙に包んだ銭を差し出すと、たちまち怒りが和らいだ。どちらの家にも掛け取りが押しかけていたのだ。何とか商いの了解を取ると、澪は表へ出て、大きく安堵の息を吐いた。

野江が託してくれた金は、細部にまで役に立ってくれている。吉原の方角と思しき方を向くと、澪は静かに首を垂れるのだった。

「澪さん」

蒟蒻と油揚げ、それに器類を何とか調達して、軽い足取りで化け物稲荷《いなり》へ向かう途中、誰かに呼び止められた。振り向くと、源斉が穏やかな笑みを浮かべて立っていた。

「源斉先生、まだ診察を？」

「ええ。病に大晦日も正月もありませんからね。ああ、それと朝のうちにつる家のご店主を診察したのですが、これまでとは少し様子が違っているのです」

考えるような表情で、源斉は続ける。

「おそらく、付け火の混乱から、正気を取り戻されたのではないかと思います」

良かった、と言いかけて澪は口を噤《つぐ》んだ。

正気に返ったからといって、果たしてそれが幸せなのだろうか。付け火に遭ったことも、それに愛娘のおつるの死も、思い出さぬ方が苦しまずに済んだかも知れない。

そんな澪の胸中を察したのか、源斉もまた、

「これからがお辛いと思います」

と声を落とした。

源斉と別れると、澪は化け物稲荷に駆け込んだ。祠《ほこら》の前に蹲って、両手を合わせる。長い長い祈りを終え、顔を上げて神狐《しんこ》を見ると、変わらず優しい目で笑っていた。頭上には今年最後の青空が広がっている。真澄の空だ。

雲外蒼天。

忘れへん。生きてる限り、絶対に忘れへん。

澪は胸の内で呟くと、神狐に頷いてみせた。

その夜のこと。

下拵えをあらかた済ませると、夕餉に蕎麦《そば》を食べ、明日に備えて早めに床に入る。体は

疲れているのに、なかなか寝付けない。

除夜の鐘が鳴り始めた。

「ええ年になりますように」

芳が小さく呟いた。

「良い年にしましょう」

澪もまた、小さく応えた。


明けて、文化十一年（一八一四年）、元日。

六つ（午前六時）の鐘はまだである。裏店は未だ深い眠りの中にあり、澪と芳は引き戸が軋《きし》むのを気にしながら静かに表へ出た。

「澪ちゃん、ご寮さん」

向かいの戸口が開いて、提灯の灯《ひ》とともに、おりょうと伊佐三が顔を出した。

「明けましておめでとうございます」

揃って新年の挨拶を交わすと、伊佐三が澪の背中から器の入った背負い籠を取り上げた。

「伊佐三さん、いけません」

「構わねえ。初日の出を拝みに行くついでだ」

おい、太一、と伊佐三が呼ぶと、太一が泣きじゃくりながら姿を見せた。父親は息子をひょいと肩に乗せると、空いた方の腕で籠を持ち上げて先に行ってしまった。おりょうが芳から七輪と桶を奪い、亭主の後を追う。芳が二人の背中に手を合わせる。澪は重い鍋を抱えて、二人を追った。

神田明神。その境内の一番東側に立てば、町家の甍《いらか》の波の向こうに大海原が広がる。新年最初の陽がまず海を緋色《ひ》に染め、海に注ぐ大川を輝かせ、徐々に人家を染めて参拝客を明るく照らす。初日の出を拝んだ参拝客は吉祥を胸に、幸せな心持ちで帰路に着くのだ。

神田明神を出て勾配《こうばい》のきつい段々坂をくだり、明神下の通りへ抜ける途中に、つる家はあった。茶碗蒸しで名を上げた店が焼け、そのあとに出た屋台見世から、酒か味噌か、何やら良い香りが漂うのを、参拝を終えた人々が不思議そうに覗いていた。

「どうぞ召し上がっておくれやす。酒粕汁で、ほっこり温まっておくれやす」

絶妙な頃合いに、芳が柔らかな声を上げる。酒粕汁、という耳慣れない名前に戸惑いながら、それでも注文する客が一人、二人。

最初の客が椀に口をつける様子を、澪は屋台の内側から固唾《かたず》を飲んで見つめる。男は汁をひと口すすり、ほう、と目を見張った。

「こいつは旨い。初めての味だが、酒が効いて何とも旨い」

男の箸が鮭を捉えたのを見て、注文する声が重なって上がった。初春とは名ばかりで、底冷えのする朝だったことも幸いして、用意していた大鍋二杯分を瞬く間に売り切ってしまった。澪と芳は一旦《いったん》家に戻り、夕方にまた大鍋を運んで粕汁を商った。

「これを食った後、いつまでも身体がほかほかと温まって、まるで湯へ行ったみたいだぜ」

朝に食べた客が、そう言って夕方も訪れる。何杯もお代りする客も現れた。様子を見に来たおりょうが見かねて手伝わねばならぬほど、屋台見世は初日から大繁盛となった。

商いを休んでいる店に頭を下げて食材を掻き集め、松の内まで屋台見世で粕汁を売り続けたところ、料理番付に載った店が面白いことを始めた、と噂になった。途切れることなく客が来るようになるまで、さほど時間はかからなかった。

「これは美味しい」

源斉が、白い息を吐きながら、声を上げた。

「酒を飲まない私でも、この味はわかります」

ありがとうございます、と澪は頬を緩めて頭を下げた。

「上方では粕汁と言うのですよね。でも酒粕汁、という名前の方がわかり易くて親切だ」

「売り出しが元日でしたから、『かす』だけだと験が悪いだろう、とご寮さんが」

なるほど、と源斉は感心したように頷いた。

屋台見世での仕事に慣れ、客捌《さば》きにも慣れた今、芳には昼餉夕餉の忙しい刻に手助けしてもらうだけにした。怪我も治っていないうちから散々無理をさせてしまったことを、悔いている澪だった。

ふいに、同じく病人の種市のことが胸を過る。粕汁に手を取られて、このところ、部屋を訪ねることさえままならないのだ。

澪に問われ、源斉は箸を止めて少し考え込み、言葉を選びながらこう話した。

「気力が萎《な》えたままなのは相変わらずなのですが、おそらく本人が一番、何とかしたいと……娘さんのためにも、何とかしたいと思われているのではないでしょうか」

何とかしたいと思いながら何とも出来ない辛さ。澪は種市の胸中を慮《おもんぱか》って、両の眉を下げた。粕汁を食べ終えた源斉は、暫く空の器を眺めた後、思いきったように顔を上げた。

「持ち帰りを考えたらどうでしょう。酒粕は滋養になるし、身体を温めてくれるから、この季節には何より。それに澪さんの酒粕汁はひとを元気にする味です。持ち帰りが出来れば、私の患者にも勧められるのに」

「けれど、入れ物が」

「鍋でも丼《どんぶり》でも良いから入れ物を持参したひとに、この椀で分量を量って売るのです。屋台見世は大抵、そうやっていますよ」

なるほど、と澪がぽんと両手を打った。

「また澪ちゃんの仕事を手伝わせてもらえるようになるとは思わなかったよ」

持ち帰りの客に対応しながら、おりょうが澪を見て嬉しそうに笑う。大きな身体の傍らに、太一の姿がないことを澪は寂しく思った。

「登龍楼のも旨かったが、こっちのも旨いな」

椀を手に粕汁を食べていた客が、ぼそりと呟いた。途端、澪とおりょうの顔色が変わる。その客によると、二日ほど前から須田町の登龍楼でも酒粕汁を商い始めたとのことだった。

「何て卑怯な店だい。何が一流料理屋だ、笑わせるんじゃないよ」

おりょうが烈火の如く怒り始めた。

「茶碗蒸しの次は酒粕汁。あまりにも節操が無くて、こっちが恥ずかしくなっちまう」

澪が、おりょうさん、と小声で呼んで首を振ってみせたが、おりょうの怒りは容易に収まらない。まあまあ、と客の方が宥《なだ》めにかかった。

「俺も登龍楼へ食べに行ったぜ。旨いは旨いんだが、俺はこっちのが好きだ。それにこうして吹きっ晒しの中で食べるのがまた良い」

この台詞には流石のおりょうも吹き出して、他の客も澪も一斉に笑い声を上げた。

丁度粕汁を飲んだように胸の中が温かい。

壁や建具に守られて、調理場で立ち働いていた時には知らなかった。屋台見世は客に最も近く、美味しそうに食べるさまや幸せそうな顔を間近にすることが出来る。料理を作っていて良かった、としみじみ思えるのだ。登龍楼のことは気がかりだったが、客の顔を間近に見て、真っ当な商いを続けていれば大丈夫。ひとを元気にする味、と言ってくれた源斉の言葉を信じよう。澪はそう自身に言い聞かせる。ふと、澪は肝心の種市にまだ粕汁を食べてもらっていないことに気が付いて、両の眉を下げた。

翌朝。

澪は出来上がったばかりの粕汁を持って種市の部屋を訪ねた。声をかけて引き戸を開けると、こちらに背を向けて悄然《しょうぜん》と座っている種市の姿が見えた。旦那さん、と声をかけるが振り向く様子もない。澪は器を載せた盆を板敷に置き、それを種市の方へ押しやった。部屋中に温かな湯気と香りが満ちて行く。

「今、つる家のあとで酒粕汁を売る屋台見世をやらせて頂いています。旦那さんに黙って、勝手なことをして申し訳ありません」

種市の背中に頭を下げて、澪は続ける。

「つる家は、おつるさんの家。その家を無くしてしまったのは私のせいです。どれくらい時がかかるかわかりませんが、おつるさんの家を何としても取り戻したいと思っています」

それだけを言うと、澪はそっと部屋を出た。後ろで種市の啜り泣く声がしていた。

その日の夕暮れ時のこと。

夕餉に粕汁を求める客で、屋台見世には行列が出来ていた。屋台の陰で器を洗っていた芳が、手を止めて低い声で澪を呼んだ。

「澪、つる家の旦那さんが」

慌てて視線を廻らせると、少し離れた先にひっそりと佇む老人の姿があった。

客たちが湯気の立つ粕汁を食べる様子にじっと見入っている。そんな種市に、澪はあえて声をかけなかった。夕餉時を過ぎ、客足も途切れたので、芳とおりょうには先に引き上げてもらい、澪ひとりになった。鍋の粕汁もそろそろ無くなる。商い中のしるしの掛け行灯を外そうとした、その時。

「酒粕汁を一杯くんな」

面やつれした種市が、澪の前に立っていた。

はい、と答えて、最後の一杯を椀に装って箸を添え、差し出す。温かさを確かめるように、種市は器を両の掌《てのひら》で包み込んだ。ずずっと汁をひと口。箸で人参を摘まみ、また汁をひと口。

澪は、箸を持つその手が小刻みに震えているのに気が付いた。俯いた老人の下瞼《まぶた》に涙が盛り上がり、今にも零《こぼ》れ落ちそうだ。

「旨すぎて鼻水が出ちまったよぅ」

種市は掠れた声で言って、乱暴に袖で顔を拭うと、箸を置いて澪を見た。

「登龍楼にまた真似されちまったと聞いたぜ」

「はい」

「大丈夫なのかい、お澪坊」

どうでしょう、と澪が首を傾げ、頼りねえなぁ、と種市がほろ苦く笑う。澪は口もとに笑みを湛えて、店主を柔らかく見返した。

「粕汁は船場《せんば》煮と並んで、冬場、大坂の寒い台所で奉公人がごくたまに主《あるじ》のお相伴に与れる、ご馳走《ちそう》なんです。茶粥やら雑炊やらの単調で倹《つま》しい食事の中、その一杯の粕汁で、奉公人はどれほど元気づけられることか。その味わいは、贅を尽くした暖かい部屋で食べても、あまりよく伝わらないように思います」

聞き終えた種市は、なるほどなぁ、と唸って、また袖で乱暴に顔を拭った。風が出て来て、掛け行灯の火をゆらゆらと大きく揺らす。種市はそこに書かれた「つる家」という文字に目をやって、じっと考え込んだ。

いつまでもおつるを仮住まいのままで置くわけにいくまいよ、と独り言を洩らしたあと、種市は、赤い目で澪を見た。

「お澪坊、ひとつ頼みがあるんだが、聞いちゃあくれまいか」

「何でしょう」

「悪いが、この屋台見世をどけてくれないか」

えっ、と澪が目を剝いている隙に、種市は後ろへ回り、決死の形相で屋台を持ち上げた。

「旦那さん、一体なにを」

澪は咄嗟に掛け行灯を外し、おろおろと店主に縋った。しかし、種市は澪に目もくれず、老人とも思えぬ力で屋台を通りの方へずらす。そして、七輪の傍に置かれていた十能を手に取ると、地面を掘り始めた。種市が明らかな意思を持ってそうしていることを悟った澪は、慌てて行灯で種市の手元を照らした。

踏み固められた土を難儀して掘り進む。じき油紙で口を包んだ小ぶりの瓶《かめ》が現れた。瓶に手を掛け、揺さぶるようにして土の中から取り出すと、種市は手で丁寧に瓶の土を拭う。それを大事に懐に入れると、澪を振り返った。

「これからお澪坊の家に行かせてもらうぜ」


犬の遠吠えが風に混じって、路地を吹き抜けて行く。三人の沈黙を埋めるように、薄い板戸ががたがたと賑やかに鳴っていた。

「それはつまり」

最初に口火を切ったのは、芳だった。

「別の場所で新しい店を出しはる、いうことだすか？　今の御台所町とは別のとこで」

そうさね、と種市が頷いてみせる。

「もとの場所に建ててまた付け火でもされちゃあ堪らねぇから、あたりが武家屋敷で、川のすぐ傍ってのを探そうと思ってる」

そう言って種市は、懐から例の瓶を取り出すと、自分の前へ置いた。油紙を外し、瓶の蓋を取ってみせる。

澪と芳がはっと息を飲む。

大小の金貨銀貨が入り混じって、ぎっちりと上まで入っていた。

「こいつぁ俺の隠居金だ。いや、本当はおつるの嫁入りに持たせてやろうと思って、時には無茶もして蓄えた銭なんだ。ご寮さん、お澪坊、俺ぁ、この銭でもう一度、おつるの家を作ってやりてぇと思う。この腰ではもう蕎麦も打てまい。それでも、死んじまった娘のために俺に出来るのは、あいつの名前を付けた店をやっていくことだけなんだ」

最後は涙声になっていた。ついては、と種市は、畳に手をついて額を擦りつける。

「二人で、俺を助けちゃあくれまいか」

芳は瞼を拭いながら種市を見、そっと視線を澪に移した。その眼差しが問いかけているのに気付いて、澪は深々と頷いてみせた。

安堵した顔で芳は澪に頷き、それから、旦那さん、と優しい声で種市に呼びかけた。

藪入《やぶい》りが済み、恵比寿《えびす》講も終える頃になると、酒粕汁を巡る登龍楼とつる家の評価はほぼ定まったと言って良かった。客の絶えないつる家に対して、登龍楼で酒粕汁を注文する者は居なくなったのだ。そうなるとまた、人相の良くない地廻りが屋台見世の周りをうろつき始めた。

澪は内心の怯えを隠し、何でもない顔で屋台見世に立ち続けた。客に気の荒い職人が多かったことも幸いして、あからさまな妨害は受けずに済んでいた。

その夜、澪は客の途切れた隙に井戸へ水を汲みに行った。大慌てで戻る途中、薄闇の中で男が二人、喧嘩《けんか》だろうか、もつれ合うのを目撃した。地面を転がり、殴りつける音に呻き声が混じる。

「これ以上、あの店に構うな。土圭《とけい》の間《ま》の小野寺《おのでら》がそう言っていた、と采女に伝えよ」

押し殺した低い声が、澪の耳に届いた。

ふらふらと一人が逃れて行き、残った一人が立ち上がってこちらへ向かって来た。その姿を見て、澪が驚いて声を上げる。

「小松原さま」

「よう、下がり眉」

常の風采の上がらぬ形《なり》の小松原だった。腰に刀があるのに、抜いた様子はない。泥だらけの後ろを、澪は遠慮がちに払った。

「喧嘩ですか?」

「ちぇ、見られちまったか。ま、酔っ払いの小競り合いさ」

小松原はばつが悪そうに頭を掻いた。それより、と男は掛け行灯の薄暗い灯の下で娘の瞳を覗く。

「付け火されて萎れているのかと思いきや、ちゃっかり屋台見世で稼いでやがる。まったく大した娘だぜ、お澪坊は」

乱暴な物言いに、男のねぎらいが滲んでいた。澪は瞳が潤み出したのを悟られぬよう、そっと顔を背けた。ふと、「とけいのまのおのでら」という先の声を思い返したが、小松原に会ったら話しておきたいことが沢山あったので、それに気を取られる隙がなかった。

「元飯田町《もといいだまち》？　俎橋《まないたばし》の近くのか？」

美味そうに食べていた箸を止めて、男が驚いたように声を上げた。澪は、はい、と頷く。

「手頃な店が貸しに出ていたそうなんです。ここから少し遠くなりますが、いらしてくださいね」

一瞬、迷った顔になった小松原だが、澪が思いきり両眉を下げて返事を待っているのに気付いて、くくくっと笑った。

「そうだな、その見事な下がり眉を拝みに行ってやるとするか。で、越すのはいつだ？」

「旦那さんとよく話して、初午《はつうま》に決めました」

初午か、と男は繰り返して目尻に皺《しわ》を寄せる。それは江戸中で稲荷社の祭事が行われる日だった。

「化け物稲荷の神狐に守ってもらえるな」

はい、と澪はとびきり嬉しそうに笑う。これで小松原には伝えることが出来た。残るは、一人。

深夜。澪は鋭く欠けた月を見上げて、待ち人が早く現れますように、と祈るのだった。

澪は、眠っている芳を気にしながら、行灯の明かりの下で、袱紗の中の小判を数え直していた。野江から託された十両のうち、残ったのが二両。このひと月で澪が得たのが二両。合わせて四両が手元にあった。

出来れば十両全部、すぐにでも返したかった。種市から借りて、とも考えたのだが、誰かに頼んで都合をつけた銭ならば、野江は決して受け取らないだろう。

「野江ちゃん、勘忍」

小さく呟くと、澪は四両を江戸紫の袷袱紗に丁寧に包んだ。そして、硯《すずり》に墨を磨《す》ると、漉《す》き返し紙に向かう。野江に宛《あ》てて書きたいことが胸に溢れて、なかなか筆が進まない。難儀しながら漸《ようや》く書き上げたものを、しかし、澪は、読み返すこともせずに、引き破った。

もっと相手の心に届けたい言葉があるはずだった。

懐から友の文を取り出すと、それをじっと見つめる。やがて書くべきことに思い至って、澪はそっと頬を緩めた。

睦月《むつき》の晦日、その待ち人は、やっと屋台見世に顔を出した。

「酒粕汁の評判は聞いてるぜ」

良かったなあ、と温かい声で又次は笑う。澪はふいに胸が一杯になって、唇を引き結ぶと黙って鍋を掻き混ぜた。差し出された弁当箱に、汁を切って冷ました具を入れ、汁の方は徳利に詰める。こうしておけば持ち帰り易く、鍋で温めて熱々を食べてもらえるだろう。

「ああ、なるほど、考えたもんだ」

又次は感心した口調で澪の手元を眺めている。澪が弁当箱の上に袱紗を置くのを見ると、尋ねるような視線を澪に投げた。

「四両、入っています。まだそれしかお返し出来ないのですが」

「無茶はしてねえな」

「はい。使わなかった分と、商いで得たものです。残りは、俎橋に移ってからお返し出来るようにします」

元飯田町の新しい店のことを伝えると、又次は、あさひ太夫に良い知らせが出来る、とことのほか喜んでくれた。

「俺ぁ、今夜はしみじみ嬉しいぜ。里に長く暮らしていると、そんな気持ちはとうの昔、どっかへ捨てちまったと思っていたが」

風呂敷と徳利とを抱えると、又次は、おや、と声を洩らした。

「今、梅の香がしたような」

「どこかで咲いているのかしら」

澪も屋台の表へ回って、匂いを探る。確かに風の中に甘い梅の香が混じっていた。周囲に視線を廻らしても、暗くてわからない。

「ひと枝、手折って太夫に届けたかったんだが、まあ良い。とびきりの土産があるしな」

又次は言って、手にした荷を示した。袱紗の中には四両の他に、澪から野江にあてた文が入っている。

梅の芳香の中を去って行く男の背中を見送りながら、澪は、野江に宛てた文の中身を思い返す。そこにはほんの一行、こう綴られていた。

旭日《きょくじつ》昇天《しょうてん》さま　感謝

巻末付録　澪の料理帖

ぴりから鰹田麩《かつおでんぶ》

材料
かつお削り節
（乾燥した状態）……50g
醤油……大さじ2
酒……大さじ2
水飴……小さじ1
七味唐辛子……小さじ0・5
炒り白胡麻・鷹の爪……適宜

作りかた
1 出汁《だし》を引いたあとの削り節（出汁がら）を、ぎゅっと絞って出来るだけ水気を切り、笊《ざる》に広げて天日で干します。手で揉《も》んでパラパラになるまで、目安は三日。
2 すっかり乾燥したら、すり鉢で程よくすります。
3 鍋に入れ、焦げ付かないよう注意しながら醤油《しょうゆ》、酒、水飴《みずあめ》で味をつけます。
4 七味唐辛子、炒り白胡麻《ごま》、種を抜いて小口切りにした鷹《たか》の爪《つめ》を加えて完成です。

ひとこと
出汁がらを使ったエコ料理です。調味料はお好みで調整してください。ただし、水飴を沢山いれると、冷めた時に食感が良くないので注意。松の実を入れても美味《おい》しいですよ。

ひんやり心太《ところてん》

材料
さらし天草……30g
酢……大さじ1
（特別な道具として、天突きが必要）

作りかた
1 さらし天草をよく水洗いしてゴミなどを除きます。
2 鍋《なべ》に1000ccの水、大さじ1の酢、1の天草を入れて弱火で20分ほど、灰汁《あく》を取りながら煮ます。焦げ付かないように時々底から混ぜてください。
3 笊《ざる》に布巾《ふきん》を広げて、2を漉《こ》します。
4 型に3を流し入れます。冷めると固まり始めます。
5 切り分けて、天突きで突き、お好みのたれで召し上がれ。

ひとこと
さらし天草や天突きなどは通販で入手できます。また、天突きで突かずに、塊のまま味噌《みそ》を塗ってラップに包むと、「味噌漬け」になります。これも素晴らしく美味《おい》しいですよ。
（心太のレシピに関して、松木寒天産業さんのご協力を頂きました）

とろとろ茶碗蒸し

材料（4人分）

玉子……3個
出汁……500cc
塩……小さじ0・5
醤油……小さじ1
味醂……小さじ1
酒……小さじ1
海老……4尾
百合根……1個
銀杏……12個
柚子……適宜

下ごしらえ

＊出汁《だし》を引き、塩、醤油《しょうゆ》、味醂《みりん》、酒で味を調え、冷ましておきます。（A）

＊海老は殻をむき、背わたを取って、酒少々（分量外）を振ります。

＊銀杏《ぎんなん》は殻を外し、茹《ゆ》でて薄皮を取ります。

＊百合根《ゆりね》はばらばらにほぐし、塩少々で固めに下茹で。

＊柚子《ゆず》はよく洗って必要な分だけ皮をそぎます。

作りかた

1 玉子を割りほぐして、Aに加えて布巾《ふきん》で漉《こ》します。

2 海老、百合根、銀杏を器に入れて、そこへ1をそろそろと注ぎます。表面の泡は楊枝《ようじ》などで潰《つぶ》しておきましょう。茶碗蒸し専用の器ならば蓋《ふた》がついていますが、なければ適当な大きさの小皿で蓋をしておきます。

3 十分に湯気の上がった蒸し器に2を並べ、蓋をして強火で2分、火を弱くして12分～15分蒸します。

4 柚子を加えて更に2、3分蒸します。竹串《たけぐし》を刺してみて、液が澄んでいれば完成です。

ひとこと

玉子の大きさにより微妙に柔らかさが変化しますが、玉子と出汁の割合を1対3・5程度にすると良いでしょう。柚子と一緒に三つ葉を入れても色合いがきれいですよ。

ほっこり酒粕《さけかす》汁

材料（4人分）

塩鮭……150g
大根……150g
人参……100g
蒟蒻……1枚
油揚げ……1枚
根深ねぎ……5cm
酒粕……100g
味噌……30g
出汁……1300cc
酒……大さじ1
醤油……大さじ1

下ごしらえ

＊出汁はあらかじめ引いておきます。
＊大根と人参《にんじん》は拍子木切り、ねぎは小口切り。
＊蒟蒻《こんにゃく》は匙《さじ》などで一口大にちぎり、塩で揉《も》んで下茹《ゆ》でしておきます。
＊油揚げはざっと油抜きして、千切りに。
＊鮭《さけ》は一口大に切って、さっと湯通し。

作りかた

1　あらかじめ引いていた出汁に、大根、人参、蒟蒻を入れて、柔らかくなるまでことこと煮ます。
2　酒粕をすり鉢ですります。1の鍋《なべ》から取った100cc の出汁を、様子を見ながら加えて滑らかになるまですりましょう。
3　1に鮭と油揚げ、ねぎを加え、ついで2を加えます。
4　酒、味噌《みそ》、醤油を加えて味を調え、ひと煮立ちさせて完成。

ひとこと

上方の粕汁は薄口醤油、白味噌、青ねぎを用いますが、今回は澪《みお》のアレンジということで。酒粕効果で身体《からだ》が温まって、風邪退治にもなります。お好みで七味唐辛子をどうぞ。

時代小説文庫
た 19-1

八朔《はっさく》の雪《ゆき》 みをつくし料理帖《りょうりちょう》

著者 高田《たかだ》 郁《かおる》

2009年 5月18日第 一 刷発行
2012年 10月18日第三十七刷発行

発行者 角川春樹

発行所 株式会社 角川春樹事務所
〒102-0074 東京都千代田区九段南2-1-30イタリア文化会館

電話 03(3263)5247[編集] 03(3263)5881[営業]

印刷・製本 中央精版印刷株式会社

フォーマット・デザイン＆シンボルマーク 芦澤泰偉

ISBN978-4-7584-3403-4 C0193
http://www.kadokawaharuki.co.jp/[営業]
fanmail@kadokawaharuki.co.jp[編集] ご意見・ご感想をお寄せください。